七月十四之猛鬼出籠 鬼門關

作者　鬼差

出版　超記出版社（超媒體出版有限公司）

地址　荃灣柴灣角街 34-36 號萬達來工業中心 21 樓 02 室

電話　(852) 3596 4296

電郵　info@easy-publish.org

網址　http://www.easy-publish.org

香港總經銷　香港聯合物流有限公司

上架建議　靈異故事

ISBN　978-988-8806-14-0

定價　HK$68

【創刊於二〇〇六年，是香港最長壽的靈異鬼故期刊。】

目次

【鬼故講不停】

【盂蘭勝會關人鬼事？】

冥婚，讓死神做證婚人（上）

大家有沒有試過唔見銀包，身上只剩下一張八達通？但可惜八達通的儲值額已是負數！Tony 這天帶著一袋樣板外出見客，匆忙趕路期間不慎丟失了銀包，幸好迷你八達通與屋企鎖匙扣在一起，才幸保不失。但此時他才猛然醒起，剛才買了杯咖啡，八達通已是負數，手機又無電，方圓百里都沒有便利店可以 charge 電。可算黑仔了，怎麼辦好呢？難道在街頭問人借錢咁肉酸？借到還好；借不到，反遭對方罵是騙子，到時更無面！

在苦無頭緒之際，突然瞥見地下有個利是封。好奇心和貪念驅使下，他拾起利是封看看裡面有沒有錢。竟然，天降橫財？裡面有一張二十蚊紙，有這五十蚊紙，夠搭車有凸了！咦？！利是封內除了有錢之外，還有一張照片，是一個少女的獨照。Tony 當下最需要的是錢，他不以為意，就把照片隨手丟進垃圾桶，然後逕自去小巴站搭車。

奇特的花香味

Tony 不慎丟失了銀包，要花錢補領證件，無端破財，實在很令人洩氣。但疲勞已掩蓋思維，他沒有想太多，上車後沒多久就睡著了。不久，他做了一個夢，夢裡有一個少女按了他家的門鈴，說是剛入住的鄰居，就住在樓上，希望彼此有個照應，手裡捧著一盆開花的植物，說是小禮物。夢中所見，少女樣子甜美，是個溫柔、漂亮的女孩子。

如是者，Tony 每晚都做著相同的夢，每次少女都拿著鮮花過來。不知是否發夢發得多，好像已分不清夢境還是現實，他總覺得屋企充滿著奇特的花香味。但屋企沒有栽種植物，哪來的花香味？

「我想和你在一起……」

連續三個月銷售未達標，任職 Sales 的 Tony 一返工已全情投入工作，沒有心思再去研究家裡的花香味。

Tony 努力追 Quota，分分秒秒都機不離手，希望有客人致電或 whatsapp 來下單。突然，手機傳來訊息的響聲，Tony 馬上查看，是一個陌生電話號碼傳來的 whatsapp message：「**我想和你在一起……**」

看著這個曖昧的訊息，一看就知是騙子訊息，Tony「妖」了一聲就沒有再理會。

忙碌不知時日過，很快來到下班的時候。他下班時天已漸黑，附近相當寧靜，四周就只有他的腳步聲。突然，背後傳來「噠噠噠」的急速走路聲，聲音還愈來愈近，他聽到聲音後便自動讓了一條路給後面的人先過。但過了十幾秒依然沒有人超越他，但「噠噠噠」的腳步聲卻依然清晰，彷彿那人就在背後。

好奇的 Tony 回頭望了一眼，昏暗的路上一個人也沒有，他到處張望都沒有看到一個人影。他隨即回過頭來並加快回家的步伐，心裡有點不安。

不久，背後的腳步聲也消失了。回家後，已深夜十點幾，他正躺在床上繼續用電腦辦公，突然手機傳來震動，Tony 看到有人傳來訊息，便拿起手機看，又是一個陌生電話號碼傳來的 whatsapp message：「**我想和你做朋友……**」。

騙子又來搵飯食了？Tony 沒有多加理會，繼續埋首工作。兩分鐘後，電話又傳來一個訊息，Tony 拿起電話一看，馬上嚇了一跳。

只見電話螢幕顯示了一句「**謝謝你讓路給我，我想和你在一起……**」。

Tony 非常吃驚，心想：「難道我被人跟蹤？但我無錢無靚屋無靚車，又無親無故，賊人綁架我有何用？跟蹤我也沒法得到好處。」

既然想不出究竟，就不去想吧！明天又要努力跑數，現在好好睡覺方為上策。

Tony 睡著不久，又夢見那位年青少女。夢裡，少女重複按著他家的門鈴，重複說是剛入住的鄰居，住在樓上，希望彼此有個照應，她手裡仍舊捧著一盆開花的植物，說是小禮物。夢境內容一模一樣，但今次少女多了一句話：「**我想和你在一起……**」。

「**我想和你在一起……**」這句話令 Tony 馬上驚醒。驚醒過後，關了窗戶的房間突然傳來了一陣風，耳邊又隱約傳來一把哀怨的女聲道：

「**我想和你在一起……**」
「**我想和你在一起……**」

冥婚，讓死神做證婚人（下）

每晚造夢，都夢著少女對自己說：「**我想和你在一起……**」

醒後也會在無人的空間裡聽到有人說：「**我想和你在一起……**」

這不可思議的情境每天重演，Tony 由一開始的疑惑，演變成現在的恐慌、焦慮。

危坐天台欲跳樓

另邊廂，保安員榮哥首天返工。他盡責地逐層樓仔細查看，當巡到天台時，赫然見到一個男人危坐在天台的圍欄。一旦跨過圍欄，男人就會失足墮樓。榮哥驚惶失色，他大聲叫道：「先生，你喺度做乜啊？」

榮哥叫了很多聲，但男人都沒有回應。眼見他越行越近天台邊，榮哥沒加細想，就大步向前衝，並一手捉住男人隻手，拼命扯回來。誰知男人好像腳纏千斤重大石一樣，無論榮哥如何用力拉扯，男人都好像雕像一樣，一動不動。榮哥心想：「這男子瘦身材，最多 50KG，無可能拉極都無反應。」

榮哥已滿頭大汗，他繼續施展全身的力量，把男人抬回來。男人依然一動不動，榮哥已累極，並倒在地上。榮哥頸項上的護身符跌了出來，男人如被雷擊一樣，抖震了一下，他霍地站起來，更不斷喃喃自語：

「我為何在這裡？」

「我為何在這裡？」

「我有畏高的，嚇死人咩？」

男人突然清醒過來，但又說出一堆莫名其妙的話，榮哥不禁目

瞪口呆。男人冷靜下來後，說出自己這段時間的奇怪經歷、收到的奇怪訊息、聞到的奇怪香味，以及今早迷迷糊糊走上大廈天台，這個男人不是他人，就是本故事上集的主角— Tony！

榮哥聽著、聽著，開始理出一些頭緒來。榮哥身上有護身符，是一位法科朋友給他的，話遲早有一天會用得著。

Tony 竟成了冥婚主角

幾天後，榮哥帶著 Tony 去找自己的法科師傅朋友，法科師傅一見 Tony，馬上問道：「是否曾在地上撿到利是？」

Tony 一臉天真地承認：「對啊！那天我丟失了銀包，手機又無電，無錢乘車，剛巧地上拾到利是，裡面有錢，所以我拿來用。」

法科師傅搖搖頭，繼續問：「利是封內除了錢，還有甚麼？」

Tony 想了一會，終於醒起，說：「裡面還有一張少女相片，但我……隨手扔在垃圾桶裡。」

法科師傅聽到後臉色突變，然後為 Tony 做了一場法事，並透過通靈向少女作出勸解，因為在路上撿起的利是封附有鬼新娘的相片，Tony 拾起了，並用了裡面的錢，等於答允她冥婚的要求，所以一直怪事纏身。

地下利是不要貪

原來，少女以為 Tony 答允冥婚，所以一直跟著他，甚至想奪他性命，要他一齊共赴陰間。所謂「冥婚」，是指死者家屬把現金、死者的生辰八字及冥婚信物（例如死者照片、頭髮或指甲等）等放入利是封，然後丟在路邊，等待有緣人。當有人撿到利是，表示答應親事。Tony 算是好彩，少女在法科師傅的勸說下願意「解除婚約」，有些亡魂死纏不休，誓要害得當事人破財、生病，甚至死亡才罷休。

180 度的靈體

40 歲的 Derek 是帶子洪郎，最近獲批一間特快公屋，輪候了九年終於有屋，應該開心過中六合彩；但這間公屋單位之前發生過凶殺案，男戶主懷疑妻子出軌，於是斬斷 37 歲女兒頭顱洩憤。應否入住這凶宅？這件事令 Derek 很糾結。

「你唔要，大把人爭丫！」

「瞓鬼屋，好過瞓街！」

「有乜好驚？人仲恐怖過鬼。」

「派咗間凶宅，點算好？拿拿聲要囉！樓主仲諗？」

「冇做虧心事洗乜咁驚？周圍都死過人啦！」

「特快係你自己揀㗎喎，而家派到又驚，想點？」

「咪再嘥命，無又怨，有又怨，想點啊？」

Derek 把自己的困擾在討論區發表，引來一眾網民熱議，人人都說公屋機會難得，又有咩好怕喎！大可以照搬出去住，再用張綠表買綠置居。

看完網民一堆留言，Derek 也很認同，心想：「好吧！要就要吧！有屋唔要，太折墮了，難道與兒子繼續捱劏房？」

但 Derek 萬萬想不到好戲在後頭。

同鬼撐枱腳

傳統上入伙要拜四角，如果單位有人死於非命，更加要找法師超度。但 Derek 要全職工作，又要分身照顧就讀四年班的兒子，實在忙得不可開交，哪有時間顧及這些儀式？他辦妥取屋手續後，找了一個星期天，call 了一程街車就把劏房的所有行李送了過去新屋，即日入住。

如是者，過了一個平靜的兩星期，Derek 已熟習了超市和街市的買餸地點，兒子俊俊也摸熟了返學放學的搭車路線。俊俊很早

熟，放學後，會先到公公婆婆家做功課和吃飯；到晚上婆婆就會把孫兒湊返公屋單位，等 Derek 放工回家。兩父子相依為命，生活簡樸，但很安穩快樂；鄰居知道 Derek 是帶子洪郎，有時也會主動提出幫手看顧俊俊，又會送菜送餅送生果。

「張師奶，您好啊，我帶了俊俊過來，麻煩您今天照顧一下他。我很快回來。」Derek 把俊俊交托給鄰居張師奶。

「你們去撐枱腳啊？對的對的，有個女人照顧個細路都方便啲。」張師奶說完，咔咔大笑。

Derek 趕著去見客，沒有細心留意張師奶的話，掉頭就走了。

無禮貌的新女友

Derek 趕去見客途中，收到外母來電。

「喂，外母？」Derek 喘著氣說。

「Derek，氣來氣喘咁，搞咩啊？」外母的說話有點火藥味。

「去見客，找我甚麼事？」Derek 繼續一邊趕路，一邊問。

「見客，你無去同啲女人搞三搞四至好。」外母語帶嘲諷道。

「甚麼搞三搞四？我去見客，去搵食啊！」面對外母的無理指責，Derek 忍不住還口。

「我有幾晚帶俊俊回家，都見到你屋企有個女人。我個女死咗，你搵第二個，我無辦法阻止；但你女朋友好無禮貌，對我不瞅不睬，坐在一角唔出聲，好像很不滿我和俊俊咁。如果你女朋友接受唔到你有個仔，我會帶走俊俊。若有天你女友打我阿俊俊，咁點算吖？」外母繼續連珠炮發。

Derek 覺得外母越來越不可理喻，心裡埋怨道：「我哪有帶女人回家，真係屈得就屈。」

Derek 借詞掛線，沒有再和外母談下去。客人真難纏，原本打算外出兩、三小時就搞掂，豈料花了一整天。

「不好意思，張師奶，周末都要煩住你，個客囉，煩了我成日。」Derek 說完，準備把俊俊帶回自己屋企。

「仲以為你和女友去撐枱腳，原來她自己一直留在屋內。她不喜歡小朋友嗎？所以你寧願把俊俊交給我睇住？」八卦的張師奶不斷探聽 Derek 的私生活。

180 度轉動

Derek 不禁一怔：屋企哪有女人？

Derek 返回屋企後，一直心不在焉。他猛然醒起外母今天的連番責罵，又加上張師奶的奇怪問題，他突然頭皮發麻，不祥的預感湧上心頭。他下意識四顧張望，尋找外母和張師奶口中的一女人！

越想越恐懼，越想越害怕。

「俊俊，不如我們落街玩皮球。」Derek 帶著俊俊往樓下公園玩，也好讓 Derek 冷靜一下，思索整件事的來龍去脈。

靜思了一會，Derek 掏出手機，把自己的奇遇在討論區發布。

不久，已有頭緒！

網友紛紛留言，話一定是被殺的女人冤魂不散，流連在單位內！另有網友非常細心，已貼出多位法科師傅的聯絡資料，建議他找人驅鬼。

「對，驅鬼─！驅走 D 污糟邋遢嘢！」Derek 已拿定主意，並馬上致電其中一位驅鬼師傅。突然，俊俊發出「哎喲」一聲。原來皮球被打到平台外，俊俊要上前執拾。在轉角處，見皮球已落在一個女士手中，Derek 正想向女士取回皮球之際，發現有唔妥！女士是背脊向著自己，但頭部竟可以 180 度轉向著他們，幽幽地說：「我唔係邋遢嘢……我唔係邋遢嘢……」

兩父子見狀，馬上拔足狂奔，跑到外母家救命，翌日馬上申請退掉單位。

死後的心願

香港住宅樓價高企，不少港人為求棲身，只好鋌而走險，違例租住工廈，令到工廈劏房的非法問題日益嚴重。工廈違規改造劏房，大幅增加房間密度，一旦遇上火警，住客難以逃生。

工廈劏房三人慘死

這棟工廈劏房的火警，三名住客就是因為走避不及，結果葬身火海。有份救援的消防員阿細憶述，單位被違規分間成 60 個獨立房間，根本達不到逃生及防火等安全標準，一起火，60 個房間就好像火燒連橫船，一發不可收拾。即使消防員使勁急速破門，但都遠遠追不上火舌吞噬的速度。

一把火熊熊燃燒，火舌吞噬一切。阿細和其他隊友只能盡力擠在狹窄的走廊通道裡，逐間細房破門查探，看看有沒有住客被困。

破門入屋，奮力施救

正當一眾消防員努力與時間競賽之際，阿細聽到其中一個房間傳來一陣陣微弱的呼救聲，「有人嗎，有人來這裡嗎？救救我們吧……」

阿細對著門縫裡喊道：「別急，我是消防員，馬上就把你們救出來，你們要保持冷靜，千萬別慌！」

阿細隨即聽到房內傳出了一陣興奮的聲音：「太好了，終於有人來救我們了，我們馬上就能出去了！」

聽到這聲音，阿細很欣慰，至少他們仍然生還。

阿細拿出身上的對講機呼喚隊友，然後便開始撬開門鎖，破門入屋。阿細一邊拆，一邊對著裡面的人高聲喊叫，鼓勵他們再堅持一下，很快就可以出來了。

死後的哀嚎

好不容易，鐵門被打開了，但是眼前的一幕，令阿細和幾個隊友都驚呆了！

只見房裡橫七豎八地躺著三個人，面色發紫，渾身僵硬，看樣子已死去多時了……

既然這些人早就死了，那麼剛才呼救的那些聲音是哪裡來？

想到這裡，阿細和幾個隊友，頓時驚呆得不能言語！

隊友阿強嘆了一口氣，說：「或許是他們不想自己就這樣不明不白的死在這裡，所以，用盡方法給我們發現……這是他們死後的心願。」

在火災中喪生的冤魂，死後仍繼續哀鳴！

冤有頭，債有主……

常言道：好人有好報，惡人有惡報。那為何滿街的衰人仍逍遙法外？其實是報應的時辰未到而已！你在做甚麼，上天看到的，罪孽只可以逃，不可以避……

其他人見我唔到……

話說有一天，的士司機阿樂當夜更，他駛至荃灣大涌橋下，見到街上有個女人站在路邊，舉頭搜索和張望，狀似召的士。前面有多架的士均沒有載客，均一駛而過，沒有接載這個女人。阿樂在女人面前停下來，開啟玻璃門，問道：「小姐，是否要的士？」

女人點頭，然後開門，步入車廂。

女人害羞地低著頭，說：「我已經等了很久……」

阿樂知道女人的目的地後，馬上開車。他一邊駕車，一邊安慰女人：「小姐，下次你截的士，你要企出啲，如果唔係，司機睇你唔到，白等就唔好啦！」

女人繼續害羞地低著頭回應：「可能其他人見我唔到……」

透過後視鏡，兩人四目交投，女人面色灰白，神情哀怨。阿樂頓時感到一陣寒意滲透全身。

不久，車輛駛至目的地：西環村。

女人付款後，默然離去。

第二晚，阿樂又駛至荃灣大涌橋，抬頭一看，又見到昨晚這個害羞的女人。前面的的士司機仍是「睇佢唔到」，沒有接載這位女乘客。

阿樂如之前一晚一樣，把車輛停在女人跟前。女人上車後，微笑著說：「你真好人，停下來接我。」

阿樂又教路，說：「小姐，下次你截的士，除了要企出啲，仲要揮手。你不揮手，司機以為你只是過馬路，唔知你要截的士。」

女人又重覆昨天的話：「可能其他人見我唔到......」

阿樂不以為意，沒有細心聆聽這句話，繼續勸說：「總之，你企出啲，揮揮手，司機就睇到你囉！」

靈異的兩母子

第三晚，阿樂又駛至荃灣大涌橋，抬頭一看，又撞見這兩晚遇到的害羞女人，但今晚有點不同，這次她手抱著一個嬰孩。

女人甫走進車廂，嬰兒突然哭得聲嘶力竭。

阿樂幫忙安慰，問女人：「ＢＢ是否肚餓？」

女人一邊安撫ＢＢ，一邊回應：「真好，你仲識得關心ＢＢ......」

你仲識得關心ＢＢ？

這句話說得那麼奇怪！

阿樂頓了一下，又接住往下說：「快到西環村了，你趕返回家餵奶啦，餓親ＢＢ就不好了。其實咁夜，成凌晨十二點幾，你實在不應帶著ＢＢ通街走，一陣ＢＢ冷親好麻煩。」

女人說：「我帶佢出來搵爸爸。」

阿樂呆了一下，不解地問：「咁夜通街搵老公？宜家得你兩母子，即係未搵到啦！你打個電話給他，問他在哪裡？最多我車你去，唔收你車錢。」

女人說：「不用了，我已經搵到了，就在前面。」

人鬼重遇

阿樂聽罷，眼睛望著前面馬路不斷搜索，但視野所見，空無一人。於是繼續問：「前面？你老公喺邊？」

阿樂轉頭回望女人，此時，他赫然見到女人高舉手指，指著自己。

女人抬起頭來，道：「咪係你囉！你已忘記了我和ＢＢ了？」

阿樂真正看清楚女人的面目，然後猛然醒起......

原來，當年阿樂沾花野草，拋下有了自己骨肉的女友阿芯，繼續在外面風流快活。阿芯打算獨力撫養孩子，可惜孩子未出世，某晚下樓梯時腳下踩空，當場重摔下樓慘死，一屍兩命。而阿芯正好住在西環邨，阿樂知道阿芯的意外，但沒有一絲愧疚，也沒有把此事放在心上。

如今，母子重現眼前，往事如快播鏡頭一樣在阿樂腦海中閃過。

「你......放過我啦......我知錯喇......」阿樂極度惶恐，不斷向母子求饒。

話未說完，鬼嬰已爬到阿樂的心口，狠狠地向他的脖子咬下去，血馬上從傷口湧出。突然，「砰」的一聲，四周漆黑一片。

救護員來到了，看到一輛的士撞向天橋底的石牆，司機當場亡。

救護車離開現場，而女人如願以償，帶著兒子和丈夫，滿足地離開。

死都不願走的圍村婆婆

Frank 和 Jenny 最近開始物色二人的愛巢，他們在租屋網搜羅過，二百呎細單位都要八、九千元，計埋燈油火蠟，唔食唔玩都要開支過萬元！最近，有經紀介紹可以考慮圍村的村屋，雖然地點較偏遠，但四千元就可以租到三百呎的單位，價錢實在非常吸引！但他們沒料到，平價的背後要付出代價的。

四千蚊就租到大單位，實在不能嫌三嫌四，因此，地點僻靜、交通不方便、買餸地點偏遠、夜晚街燈缺乏等，Frank 和 Jenny 都欣然接受。不過，單位內最近發生連串怪事，就實在令人無法忍受……

無奈接受與鬼同住

「Frank，見你日日掛住對熊貓眼，嘻嘻！知道你和未婚妻同居，兩人很恩愛，但都要顧及身體，要量力而為，是否要食吓牛鞭補補身？」同事 Mike 譏笑著說。

「咪玩啦，嘈到無覺好瞓就真。」Frank 打著呵欠，揉著眼說。

「老婆仔很大鼻鼾聲？」同事 Mike 問。

「不是，我屋企有鬼……晚晚去到凌晨三點左右，電視就自己開著，粵語長片播足幾個鐘，開到鬼咁大聲。」Frank 瞪大雙眼，壓低聲線地說。

「嘩，你嚇鬼啊？電視自己開著播粵語長片？」Mike 驚訝地道。

「是被鬼嚇！很準時的，凌晨三點左右就有粵語長片的聲音。」Frank 無奈地回應。

「咁你仲住落去，唔搬？」Mike 扯高嗓子，不解地問。

「搬？搬去邊？有能力就唔駛搬咁遠啦！我和 Jenny 為了抽居屋，所以結婚，但結了婚三年幾了，都未抽到。我們婚後一直各自各住，結婚等於分居，再咁落去，遲早散，所以才迫住租樓一齊住。」Frank 把住屋難的無奈娓娓道來。

為靈體上位做地主

Mike 明白 Frank 的苦衷，但都忍不住問了一句：「你接受與鬼同住？」

「它除了每晚看粵語長片，又沒有害過我們……」Frank 說著說著，開始昏昏欲睡。

搞到精神欠佳，還覺無問題？

Mike 覺得事件甚為不妥，此時，他想起自己有位出版社朋友曾替一位法科師傅出書，於是找這位朋友幫手，看看法科師傅能否替 Frank 驅鬼。

法科師傅仔細了解之後，知道單位內住了一位婆婆的靈體，她不許有人佔據她的住處，所以晚晚播粵語長片，以宣示主權。師傅表示，人死如燈滅，做人做鬼也好，想不通，死纏不休，死都唔肯走，辛苦也是自己。他最後施法，讓婆婆上位做地主，變身單位的守護神，以後有主歸主，盡忠職守，就不用流離失所、游離朗蕩。法科師傅補充，對付靈體，不一定要趕盡殺絕。其實，人和鬼若能安身立命，自然雙安無事。

果然，靈體上位後，Frank 和 Jenny 天天都精神爽利，雖然不是大富大貴，但事業順利，兩口子平安大吉，很快更誕下一對龍鳳胎，生活美滿。

被鬼搞

馮女士離婚後，搬進了新家，開展新的人生。她為了平租，租住了一個樓齡逾五十年的唐樓。剛搬進去發現家門上貼了一些符咒，起初她並沒有在意，以為是前屋主比較迷信，就把它撕下來扔了。

難聞的綠色分泌物

可是沒住幾天，她覺得睡得很不舒服，晚上踹不過氣也動不了。她立馬慌了，難道是被鬼壓？之前自己沒有這種症狀，剛搬來新家就出現了，難道屋子裡有不乾淨的東西嗎？一時間各種不好的想法湧上心頭，尤其是當日發現單位門上奇怪的符咒，讓馮女士寢食難安。

為此，馮女士還專門請了神婆來家裡作法。但作法後，情況沒有改善，反而變本加厲。現在，馮女士夜晚睡覺時除了被東西壓著，還會發綺夢……嚴格來說，不是夢，因醒來後，大腿內側和床鋪上流有啫喱狀分泌物，呈綠色的，狀甚恐怖。她上網搜尋資料，得知若下體流出綠色分泌物，是陰道炎或子宮病變的徵兆。她大驚，馬上做詳細的婦科檢查，但驗身後，身體各樣都健康正常，並無異樣，醫生照樣開出消炎藥給她，並叮囑她不用過份緊張。

藥石無靈

馮女士加緊清潔衣物和護理身體，以及服食消炎藥，但每晚仍是綺夢連場，睡醒後，身上仍是殘留許多氣味難聞的綠色分泌物，令她非常困擾。

西藥無效，馮女士於是找中醫師治理。

中醫師按照馮女士所述之病情，開出了消肝氣、解鬱滯的藥方

給她，但服用後，情況沒有改善，但事件實在太尷尬，也令人難於啟齒，所以糾纏了近半年她都無法與朋友傾訴。

門上的符咒

這天，她開門外出倒垃圾，撞見隔離單位的鄰居陳太。

陳太經常到外地公幹，雖然是左鄰右里，大家都很少遇上。陳太語帶驚訝地說：「嘩！你好似住了幾個月喎，冇事咩？」

馮女士被她這樣一問，當場吃了一驚，慌忙地問：「吓！？會有咩事，點解你咁講？」

「你搬入來時，無見到屋上面有度符？」陳太指著門上說。

「我以為是前屋主比較迷信，就把它撕下來扔了。」馮女士回答。

「吓？你撕了？」陳太說時瞪大雙眼，狀甚吃驚。

「咩事？撕咗……是否……有問題？」馮女士恐慌萬狀，說話開始結結巴巴。

「你上一手租客入住後，話晚晚有嘢搞佢，即是侵犯佢呀，住唔夠一星期，就嘈住要退租，她發咗癲咁鬧業主，嘈到成棟大廈都聽到。業主當時沒有留難，馬上無條件讓她退租，更發還按金。業主咁順攤，單位一定有嘢啦！後來，我見佢在門上貼了一道符，可能用來鎮住某些東西。但你住了幾個月，無走到，即是無事無幹啦！」

馮女士聞言後，頓感晴天霹靂，她這才明白，她不是身體出了毛病，而是一直被鬼搞……

她終於忍無可忍，漏夜執拾好行李後馬上搬走，而業主亦很順攤讓她退租。究竟單位藏著甚麼秘密？侵犯馮女士的是人，是鬼？業主是否知道內情？最終不得而知。

宵夜

這件事是同事 Mary 跟我說的，事發是昨天晚上。我聽完她的經歷後，嚇得我發誓以後不在公司加班！！

事情是發生在中環的某一個商業大廈的，那天我和 Mary 要 OT，是全公司最遲走的。我們打算下班後去吃宵夜，慰勞一下自己。我們下樓後，Mary 發現漏了屋企鎖匙在公司，便獨自一人回去拿回。

無人 office 叫外賣

「叮」的一聲，電梯門打開了，Mary 慢慢走出電梯並打開了公司的大門。由於 Mary 的座位離公司大門比較近，所以她懶得去開燈，只是打開了手機內置電筒作照明，很快就拿回了鎖匙。Mary 趕快去搭電梯，當電梯門快關上的時候，公司裡傳來了一把男性的聲音，他說：「有冇人要叫宵夜？我去幫大家買……」Mary 立即打開了電梯門，眼前只有黑漆漆的公司，空無一人，她心想：「仲有人喺公司？」

正當 Mary 打算關上電梯門的時候，公司裡又有人大聲說：「想食咩？」

好奇心驅使下，Mary 再次打開了電梯門，她走進公司並打開了所有的燈，但還是見不到一個人。Mary 心裡想著公司不可能還有人，因為她是全公司最遲走的。Mary 有點慌了，她跑出公司後跳進電梯，不停地按關門鍵，當電梯門即將關上的時候，她聽到公司裡又有人說：「我去買宵夜啦！」

Lift 門又開又閂

突然，電梯門自動打開了，Mary 怎麼按關門鍵也關不上電梯

門，大約十秒後電梯門終於關上了。Mary 嚇得驚慌失措，並感覺到自己身後有一個「人」，背後涼涼的！Mary 通過電梯鏡面的反射看到了一個綠色的一團影像！她立即閉上眼睛，不敢亂看，她心裡不斷唸著：「有怪莫怪，小朋友唔識世界......」

三十秒後電梯門打開了，Mary 看到我，好像遇上救星一樣直奔過來，我從遠處看到她害怕的樣子，便問起了原因......

邊個鬼叫外賣？

鬼打牆

Lisa 是一個旅行社的導遊，這天她帶團去位於新界西貢區的五桂山。

「各位團友，呢度就係五桂山啦！傳聞之前有人喺度打 war game，射中咗一個人影，行近一望，好彩只係稻草人。稻草人畀少許顏料彈射中後，居然七竅流血、全身披血咁，但附近冇農地嘅，咁點解呢度會有稻草人呢？」Lisa 說道，團友聽後紛紛表示不相信，並開玩笑地說要把它找出來。

下車後，團友們拿起相機就開始不停的拍照，欣賞這座山的風景。過了三十分鐘後，團友已陸續上車，Lisa 說：「團友們！我哋要去下一個景點啦！麻煩大家坐好，我要數人數......」

「一個、二個、三個......點解仲爭一個嘅？」Lisa 疑惑地問道。

這時有一名團友回答，他說：「第三排窗口位的女人未上車啊！我好似見佢行咗入去行山徑裡！」於是 Lisa 便去找回這一名不聽話的團友。

稻草人現身

Lisa 沿著行山徑走，並一直呼喊團友的名字，不一會得到了那位團友的回應。Lisa 沿著聲音找過去，她順利找到那位失散的團友。一重逢，團友就說：「我搵到個稻草人啦！你睇！」

Lisa 循著他手指的方向，在不遠處的確看到一個稻草人。Lisa 笑著說道：「故仔係假㗎！個稻草人咁啱喺度啫，我哋返去啦！下次唔好周圍走啦！成車人等你一個呀......」

突然，那位團友慌張地說：「你睇下佢......佢塊面流血呀！」

稻草人的臉滲出鮮紅的血，一滴、一滴的掉落在地上，兩人嚇

得立即拔腿就跑，再回頭時稻草人已經消失得無影無蹤了。他們拼命跑，怎麼也跑不出行山徑，總是跑回原位，Lisa 意識到是鬼打牆了。

　　相傳如果你遇到「鬼打牆」，即是在某個空間迷了路，無論怎麼走都返回到同一個地點，你就要朝空氣吐口水，就能走出魔障。果然，她根據網上的說法向空氣吐口水，不久她便與團友一同跑了出行山徑，返回旅遊巴......

血流披面的稻草「人」

兵馬俑的惡靈

在美國任職設計師的吳小姐因要到港處理公務，所以要在港留宿一宵。由於抵港時間已經比較晚，所以她在屯門隨便找了一間酒店安頓了下來。

抵步後吳小姐就覺得酒店非常特別，裡面陳列了許多中國風的壁畫和景品。她接過房卡後就上樓進房了，吳小姐打開房間後立即發出「嘩」的一聲，她被眼前的景像嚇到了。原來除了酒店大堂有大量裝飾品外，房間也有頗多飾物，例如在床頭上有一幅巨大的兵馬俑畫像，在電視機旁有兩隻1：1的兵馬俑，它們手上都緊握著兵器。有點被嚇到的吳小姐便隨口說了句：「放咗兩個咁醜嘅兵馬俑喺度！嚇到我個心都離一離！」

猙獰的面目

梳洗後，吳小姐打算上床就寢，但她總覺得兩個兵馬俑好像一直盯著她，她便把剛脫下的衣服分別蓋在兩個兵馬俑的頭上，這樣做會令她心理上好一點。

不一會兒，吳小姐感到一陣頭暈目眩並想作嘔，她跌跌撞撞地走到洗手間，當她走出洗手間的時候發現，兩件該在兵馬俑頭上的衣服掉落在地上，但她並沒有在意，只是認為是因冷氣太大風而吹落，她把衣服重新蓋在兵馬俑頭上，就倒在床上大睡。

吳小姐沒睡多久又感到一陣頭暈，她矇矇矓矓中看見兵馬俑把頭上的衣服丟在地上，嚇得她立即睜大雙眼，但此時的衣服不是在地上，而是出現在兵馬俑頭上，難道是她眼花看錯了？此時的吳小姐十分慌張，她想打電話到前台要求轉房，但電話無人接聽。當吳小姐再轉頭望向兵馬俑時，驚訝地發現有兩個綠色的惡靈從兵

馬俑跑出來並衝向她，惡靈面目猙獰，好像想攻擊她一樣，下一秒房間內全部燈熄滅，兩把刺耳的尖叫聲在怒吼，她驚嚇過度暈了過去......

據說靈體愛附身於裝飾物上，如對酒店內裝飾物有不恭敬的評語或行為，會令它們不悅，繼而施以報復。

兵馬俑有靈性，大家眼看手勿動！

搵替身

鬼門大開的時候，人們都會選擇早點回家，不出夜街，以免看到不乾淨的東西。但總是有些人不信邪，例如，陳某與他的老婆。結果，當晚性命就差點在吐露港公路丟了......

當晚，陳某與他的老婆在旺角吃完晚飯後，便沿吐露港公路回家。相傳，吐露港公路非常猛鬼，經常發生交通意外及嚴重事故，而水警基地段更是交通黑點。但陳某並不相信這鬼鬼怪怪的事，他只感到疲倦及想快點回家休息。

兩個白衫人突襲

當晚的吐露港公路並不多車，所以陳某便加大了油門，令車輛開得飛快。他的老婆正坐在副駕駛座上看著窗外的風景。突然，她大叫了一聲，這一叫聲把陳某嚇得夠嗆，他立即不滿地說：「做咩突然叫啊？嚇死我咩！」

他的老婆大驚失色地說：「兩個著白衫嘅人伏咗喺車窗上面，好恐怖呀！眨下眼就唔見咗啦！」

陳某轉頭望向老婆，不以為意地笑著說：「嚇鬼啊！你唔好生人唔生膽啦！你頭先食飯喝醉咗啊？」

話音剛落，他突然急速扭軚，但急轉方向導致跣軚，令車輛失控翻側撞上欄杆了。

由於車輛翻側了，所以陳某與老婆被倒吊在座位上。當陳某迷迷糊糊睜開眼時，他看到有兩個穿白衣的人正向他走來，兩人愈走愈近，陳某留意到他們的身上全是傷口，眼珠是黑色的，其中一人身上還插著玻璃，鮮血不停的順著玻璃碎片流下來，眼見兩人還有幾步的距離就到車尾之際，後方猛然傳來警笛的聲音，兩個白衣人

頓時化成一團霧消失了，之後陳某便暈了過去。

救命的警笛聲

當陳某再次睜開眼時，人已在醫院，他望向坐在身邊的老婆，老婆說他已經昏迷了幾天，幸好能醒過來。之後老婆問起陳某出事的原因，陳某說是因為當時看見兩個白衫人突然出現在路上，所以才急速扭軚，最後導致出事。

陳某之後把這件事與一個道士朋友說，朋友說那兩個白衫人是亡靈，可能想搵替身。後來陳某上網一查，原來自己發生意外的前一年，同月同日的相同時間，在相同地點，有兩人撞車身亡。幸好陳某意外當日警笛的聲音響得及時，救了他和老婆，否則……

馬路上冤靈眾多，它們四出「獵食」搵替身！

「唔好出嚟，有……」

又到一年一度的暑假，不少人會選擇離開煩囂的城市，去郊外度假，放鬆一下身心，這次的故事是發生在自殺勝地南丫島，主角是 Jennie 和 Alden。

Jennie 和 Alden 是一對情侶，他們計劃在南丫島住個三天兩夜，好好放鬆一下和與對方增進感情。他們在朋友的推介下住進了一間度假屋。

「BB，今日好劫啊！原來南丫島都幾好玩，下次一定要同你再嚟過……」Jennie 躺在床上疲倦的說道。

「梗係好啦！不過唔畀瞓住……」Alden 說完後便慢慢的從口袋裡拿了個安全套出來。

奇怪的信息

經過一陣的纏綿床褥後，Alden 意猶未盡的躺在床上，而 Jennie 就去了洗澡。Jennie 打算一邊洗澡一邊聽音樂，所以她連同手機一同帶進了去洗手間。Jennie「沖著熱水涼」的時候，手機「叮」的一聲，收到了一條信息，但由於洗手間的通風系統不好及屋內的溫度較高，令手機屏幕起霧了，所以她一時也看不清楚信息。Jennie 在抹身的時候，翻看了那條未讀的信息，那條信息來自 5 分鐘前，是男友 Alden 給她發的，內容是「唔好出嚟，有」。

真相意思原來係……

Jennie 對這條信息十分疑惑：「為甚麼我不可以出來？」信息又未講述原因，究竟「有」甚麼呢？

Jennie 在洗手間呆等了一分鐘，終於忍不住發了一則信息問 Alden 發生甚麼事，但信息一直表示未讀，所以 Jennie 決定打開

門看個究竟。打開門後，Jennie 發現度假屋的大門打開了，本該在床上的男友不見了，這時 Jennie 手機又收到了男友的另一條信息，內容是「鬼」。那合併之後的信息就是「唔好出嚟，有鬼！」

　　突然 Jennie 感覺到左腳涼涼的，她低頭一看，赫然看見有一個披頭散髮的女鬼正用口咬嚙著她的腳......

回魂

Andy 的女友是個電單車發燒友，她昨晚與幾個車友到大帽山「鍊車」。由於 Andy 昨晚實在太倦，沒有等女友回來就睡了。

天都還沒光的時候，正睡意朦朧的 Andy 被女友搖醒了，Andy 問道：「做咩啊？天都未光就叫醒我！」

女友焦急地說：「去返學啦！無時間啦！快啲起身啦！」

Andy 望望鬧鐘，埋怨地道：「依家先凌晨 4 點，邊有咁早返學啊？！」

女友還是焦急地說：「去返學啦！無時間啦！無時間啦！」

Andy 敵不過她的死纏爛打，便起了床，連早餐也沒來得及吃就被女友拖了出門口。Andy 實在不明白女友為甚麼這樣趕急，還一直說沒時間，但看見她心急如焚的樣子就沒問下去了。

到了樓下後，Andy 發現停車位上不見女友的電單車，便疑惑地問：「你車呢？」

女友並沒有正面回答 Andy，她只是說：「我哋今日坐的士，的士快啲到。」

Andy 只好點點頭，招手截停了一輛的士。上車後，女友開始不停地向 Andy 說起之前他們生活上的點點滴滴、拍拖時的甜蜜時光、她如何主動追求等，這令還沒睡醒的 Andy 感到一頭霧水。

含淚告別

到達校門後，女友牽起了 Andy 的手，並叫他看著自己。兩人就這樣互相深情的看著，此時的女友眼眶已充滿淚水，她用顫抖的語氣跟 Andy 說：「喂，Andy！今日係我最後一次送你返學，無我叫你起身，你以後唔好賴床！我無時間，我夠鐘走啦......」

Andy 不解的問:「做咩啊?你唔好嚇我喎......」

　　話音未落,女友便放開了 Andy 的手,並一把推開了他。女友立即轉身跑到對面街去了。Andy 剛想去追回她的時候,被一輛大貨 van 經過擋住了去路,當大貨 van 走後,對面街的女友已經消失不見了。Andy 立即打電話給她,但電話久久沒有人接通。就這樣,Andy 不停的找她,時間已經到了該上學的時間,他剛好碰見了準備入校門的 Daisy,她昨晚有份跟女友去「鍊車」。Andy 十萬火急的問她:「昨晚你同我女朋友去『鍊車』,發生咩事呀?」

真相大白

　　Daisy 哭不成聲地回答:「佢......佢昨晚『鍊車』時出咗事呀!對面線突然間有架車失控撞咗落佢嗰度,佢被拋出車外,成身都係血呀!連架車都爛埋,醫生話佢救唔返啊......」

　　Andy 聽到這裡已經淚流滿臉,他終於明白為何女友一直說沒有時間,而電單車為何無故消失,原來女友已經死了,她是為了趕在日出前見自己最後一面......

扮鬼同事

Amos 最近找到了一份新工作，那就是在主題樂園的鬼屋裡扮鬼嚇人，樂園裡有不同種類的鬼屋，例如「廢棄醫院」、「殘破監獄」、「舊工廠」等等。Amos 被分發到「廢棄醫院」工作，而更表上他工作的位置只有他自己一個。

Amos 扮演的角色是一個「精神病人」，就在他第一天上班的時候，發現自己工作的崗位居然還有一個同事，那個同事是個女的，她也是扮演一個「精神病人」。Amos 心想：也許公司的更表出錯了，其實當值時有名同事陪伴，反而更開心呢！畢竟自己一個人在鬼屋裡還是有點害怕的。

360 度轉的假頭機關

第二天，Amos 留意到她扮鬼扮得真傳神，整個外表十分之恐怖，她的頭還可以 360 度轉，嚇得客人哇哇大叫，屁滾尿流，但有些客人好像看不見她似的，被她嚇完都沒反應，直接無視她，並從她身邊走過。

第三天，Amos 發現她有個規律：每到晚上 9 點，她就會自動消失。而她獨來獨往，從不與人交談，包括 Amos。

但公司規定下班的時間是晚上 12 點。Amos 覺得她可能是 part-time 員工所以可以早點下班，但他沒聽說過公司有請 part-time 員工。Amos 對此感到很好奇，便在下班的時候與經理說起了這件事。其他的同事表示從沒見過這人，還有公司並沒有請 part-time 員工，請的都是 full-time 員工，Amos 工作的位置真的只有他自己一個，沒有甚麼女同事。經理並表示 Amos 的工作地方裡沒有嚇人的機關，所以並沒有假頭的機關。

想到此處，Amos 開始意識自己 —— 撞 —— 鬼 —— 了！很不幸的是 Amos 與公司簽了合約，在合約指定的日子內，不得辭職，否則要賠雙倍違約金！ Amos 想辭職但又不想賠違約金，他只好硬著頭皮繼續上！

　　到了第四天，Amos 戰戰兢兢地回到工作崗位，那位女同事又出現了，與平時不一樣的是她居然向著 Amos 揮手……

是扮鬼？還是真的撞鬼？

靈異的洗手間

Bill 下樓買晚飯時，他無意間看見 KXC 的招聘海報，時薪最高可達 HK$60。剛好 Bill 最近也缺錢，他就抱著試一試的心態去見工，沒想到第二天就有獲聘的好消息，翌日即可上班。

誰在洗手間？

「無驚無險，又到十點！準備下班。」Bill 心裡興奮的說道。

公司規定，夜班同事下班前必須清潔好廁所裡一共五個廁格方可離開。這晚，Bill 已快手快腳處理好四個廁格，但最尾一格的門緊關著，裡面不時傳出零星咳聲，肯定裡面有人。Bill 只好在洗手間外面等。時間一分一秒地過去，不經不覺已等了半小時。看著一個又一個的同事收工走人，自己則在呆等。

Bill 開始躁底，心裡埋怨道：「爆石都唔駛爆咁耐啦！阻人收工，猶如殺人父母啊！條友肯出嚟未啊─！」

Bill 走進洗手間不耐煩地敲門問道：「唔好意思啊！我哋就嚟收鋪，你去完廁所未啊？」

「就得......」在廁格的那個人用低沉的聲音回道。

Bill 深感無奈，只好再等一下。又過了一會後，Bill 聽見馬桶沖廁的聲音，他便一支箭跑進第五個廁格，開始了清潔的工作。在 Bill 清洗廁格的時候，他聽見身後有灑水的聲音，回頭一看，發現洗手盤的水龍頭正在灑水。Bill 覺得非常奇怪，明明水龍頭是自動感應灑水，但洗手盤前並沒有人，那為甚麼水龍頭會自動灑水？難道是水龍頭失靈了，還是感應到其他東西？！Bill 突然想到剛才第五個廁格裡的人，好像沒有走過出來......

想到這裡 Bill 愈來愈怕，他立刻放下手中的拖把，想迅速離

開。

但 Bill 發現用盡全身的力也打不開廁所的大門，大門就好像被焊死了一樣。Bill 正研究怎麼開門的時候，第五個廁格門突然砰的一聲又關上了，嚇得他不敢轉頭看回去。就在 Bill 驚慌之際，大門開了，原來是經理。

經理說：「清咗場好耐，放工啦！仲係度做咩？」

Bill 就好像看見救星一樣，連忙的說：「好！好！好！」

然後就跑出了洗手間。Bill 不敢跟經理說這件事，因為他怕經理不相信自己。

鬼煞的呼喚

到了第二天，Bill 不敢再清潔洗手間，便把這重任交給了其他新人同事 Albert。Bill 頓時鬆了一口氣，當他在抹檯的時候，聽見了在洗手間有人呼喚自己的名，聲音極似 Albert，Bill 便小心翼翼地推開了門，這次他吸收了上次的經驗，他只是探頭入去窺視，用身軀頂著門，免得門又好像上次打不開一樣。

Bill 向洗手間裡呼喊著同事的名字：「Albert？Albert？」

突然，有人從後拍了拍 Bill 的肩膊，那人正是 Albert。

Albert 問 Bill：「我埋緊數好忙，你叫我做咩？」

Bill 瞬間意識到，Albert 是不可能在洗手間呼喚自己。那洗手間裡是誰扮 Albert 的聲音在叫自己呢？想到這，Bill 果斷的關上了洗手間裡的門。

第二天，Bill 便辭職走人了......

迴光返照

相傳，晚期危重的病人差不多接近死亡的前幾天，他們就會迴光返照。例如：病人神智變得清醒，能與家屬進行簡短的交談，甚至重獲行動的能力等。但在其後數天或數小時內情形便迅速惡化，並離開人世。更有人說將死之人會看到已故的親人來接自己⋯⋯

一次的意外

小智是一個護老院新入職的員工，這天護老院新來了一個婆婆，小智經過與婆婆短暫的交流，得知她入護老院的原因：因為她家人忙於工作，老伴一早又離開人世，所以沒有人有空照顧她，唯一的辦法就是送她入護老院。

在接下來的日子，小智與婆婆聊得非常投契，婆婆有甚麼心事都會跟小智說，小智也會與婆婆分享日常的趣事，時間就這麼一天一天的過去了。

有一天婆婆在前往洗手間的時候，突然差錯腳，重重摔了一跤。從那天之後，婆婆就變得行動不便了，往後的日子身體更差過之前。最近婆婆還臥床不起，整天沒甚麼精神。幸好還有小智的陪伴及悉心照顧，情況才得以暫時改善。

情況好轉？ NO NO NO

在一個寧靜的下午，整個護老院內充斥著一把咳嗽的聲音，小智沿著聲音的方向，走到了婆婆的跟旁，原來咳嗽的聲音是由婆婆傳來。婆婆的神情非常難受，好像喘不過氣一樣，呼吸困難。小智見狀，便立即安排婆婆入院。

醫生說婆婆的身體機能急速退化，可能只可以撐多一個禮拜。小智得知後，眼淚不禁的流了下來，他決定陪婆婆走完人生的最後

一段路。

　　隔天，小智打算去探望婆婆，他剛好看見婆婆向著某處招手，好像要叫誰過來似的。小智感覺很奇怪，便朝婆婆招手的位置看，但也沒看到任何人。

　　小智便上前問婆婆：「你想叫邊個過嚟啊？做咩向著空氣招手嘅？」

　　「係我老公啊！係我老公啊！」婆婆虛弱地說道。

　　婆婆的回答令小智感到不解，他再望向剛才婆婆招手的位置，依舊空無一人......

　　當小智再來探望婆婆的時候，婆婆變得生氣勃勃，神智變得非常清醒，甚至能下床走路。小智感到非常開心，因為婆婆情況逐漸轉好，根本不像醫生說的那麼差！婆婆還鬧著說要喝飲料，小智只好到樓下便利店買給她。小智滿心歡喜的提著飲料返回醫院，回去後卻迎來震驚的一幕：醫生正在急救婆婆，機器的心電圖顯示婆婆已經沒有了心跳。

　　「明明剛才還好好的，但現在就已經......」小智顫抖地說道。

隧道裏的結界

聽聞，將軍澳隧道口最近有一個巨型廣告版，廣告顯示一名少女穿起白色連身裙，側身向著馬路方向，從遠處看就像一個正在等車的「白衣少女」。

這晚，阿光去完朋友的婚禮後，就獨自開車離開，準備駛經將軍澳隧道口回家。到隧道入口附近，阿光看到一個穿白色衣服的少女向他招手。

阿光不禁驚嘆道：「噢！呢個就是社交平台講緊的白衣少女廣告板。嘩！遠睇又真係幾似有人企喺度等車啊！夜媽媽見到佢，真的以自己撞鬼！」

阿光暗笑了一下，就繼續開車駛入隧道。幾分鐘過後，他發現還沒駛出隧道，便加大了油門，當時的時速達到了 70 公里。又過了一陣子後，阿光還是沒能夠駛出隧道，他甚至還沒看到隧道的出口。

阿光感到有些奇怪，心裡暗暗地想：「明明將軍澳隧道係香港最短嘅隧道，平時兩到三分鐘就行完，但係點解今日開咁耐嘅？」

阿光的視線望向了倒視鏡，然後再看了看旁邊，他意外的發現隧道除了自己外，並沒有其他車。阿光立刻揉了揉眼睛，但隧道還是只有自己一個，他並沒有看錯。

阿光不解地說道：「呢段時間，隧道應該仲有其他車㗎......」

結界

阿光又加大了油門，時速由 70 上升到了 80 公里，他只想快點開出隧道。車輛開得飛快，就好像一隻獵豹一樣。此時車的油量已經不多了，阿光只好把車停到旁邊。

阿光下車後，從口袋裡拿出手機，打算打電話向外求助。但奇怪的是手機並沒有信號，他怎麼也打不出電話。阿光意識到自己可能進入某種結界了，無奈的阿光只好先坐回車上繼續找方法「逃脫」。

隧道口旁的女人？！

當阿光的視線再次望向倒視鏡的時候，他驚訝的發現剛才在隧道口見到的廣告板白衣少女竟出現在車尾，她離自己座駕只有幾步之近。她的出現差點把坐在車裡的阿光嚇死。

那少女面目猙獰，狀甚恐怖，幾秒後，她突然尖叫並跑向他，阿光嚇得立即開車就走，油門一腳踩到底，但那個女人從後窮追不捨。阿光一路飛車一路望向倒視鏡，生怕女人追上來，但她跑得愈來愈快，離車愈來愈近。突然，女人從倒視鏡消失不見了。正當以為危機過去時，白衣少女已坐在車廂後座，那雙血紅色的眼睛正直勾勾的看著自己，他害怕得原地煞車，並打算開車逃命，豈料車門無故反鎖，他只好坐在車上，緊閉雙眼，嘴裡默默的唸著：「喃嘸阿彌陀佛，喃嘸阿彌陀佛......」

不知唸了多久，當他再睜開眼時，發現女人消失了，阿光二話不說的踩油門開車，不到一會就開出隧道了。

回魂夜驚魂

昨天女友 Dora 因為驚嚇過度而暈倒送院了，知道消息後，男友 David 立即火速奔往醫院看望她。

女友面色蒼白，雙手發抖，好像受了很大驚嚇，David 很是心痛。他緊張地問：「你點呀？冇事吖嘛？昨晚發生咗咩事，點解你會驚嚇過度暈咗嘅？」

「昨晚……昨晚我見到牛頭馬面呀！」Dora 顫顫巍巍地回答他的疑問。

David 一臉疑惑地說：「牛頭馬面？！」

說到這裡，Dora 突然像發癲了一樣，不停的尖叫，她刺耳的尖叫聲傳遍了整層的醫院。等了良久，她的情緒才平復下來，並把經過娓娓道來。

話說前晚，Dora 吃完晚飯後，便打算把拉圾帶到後樓梯倒掉。倒完拉圾後 Dora 正想回屋時，她發現自家的門意外的關上了，而她卻沒帶自家門的鑰匙。當時的她只好打電話給住在附近大廈的媽媽，叫媽把自家門的鑰匙帶過來。

那時 Dora 身穿睡衣，不方便到樓下等，所以她只好坐在後樓梯等。沒過幾分鐘，坐在後樓梯的 Dora 聽到電梯「叮」的一聲，她剛想打開後樓梯門的時候，通過門上的玻璃看到了有兩個身穿西裝的男人，他們陪同就住在 Dora 單位旁的陳生一起進了他家。

牛頭馬面來襲

Dora 很是不解，心想：「陳生唔係早幾日車禍入咗院咩？記得佢好似都傷得幾嚴重，但係咁快出咗院嘅……？」

在樓梯門後的 Dora 偷聽到了他們的對話，那兩個西裝男對陳

生說：「一陣就會返嚟接你，食埋餐飯好走啦......」她聽到後有點疑惑。

　　然後，那兩個西裝男就走了。Dora 推開了後樓梯的門，發現陳生的家門處於半關狀態，她走到陳生的門前，並好奇的向他的屋裡看去。Dora 看到陳生坐在客廳飯桌前，他坐的位置正背對著門口。Dora 聞到了從陳生家中傳出陣陣飯香，估計他正在吃飯。

　　Dora 好心的問道：「陳生出咗院啦？同埋你屋企道門未關好喎！」

　　但陳生沒有回答她，只是一動不動地坐在飯桌前，Dora 以為他聽不見，便繼續的問：「陳生出咗院啦？陳生？」

　　陳生還是沒有任何反應，出於好心的 Dora 怕他出事，便一路呼喊他的名字，並慢慢向他身邊走去。走到陳生旁的 Dora 發現桌面上的熱菜他一樣都沒動過，但手上卻拿著筷子，他的雙眼還緊閉著。突然，陳生用他那冰冷的手一把抓著了 Dora，Dora 頓時嚇得驚聲大叫，然後陳生的臉開始流血，那雙血紅的眼慢慢睜開，桌面上的熱菜頃刻間腐爛了，驚慌之際 Dora 回頭看見那兩個西裝男正站在門口，有一個西裝男的頭是牛頭，另一個西裝男的頭是馬面，Dora 頓時被嚇到暈了！

　　據她媽媽描述，一出電梯就看見女兒倒在地上，叫極都沒反應，就立即送她入院了......

夜晚千祈唔好飛站

阿樂是一個巴士司機，他的行車常規路線是由蘇屋邨開到數碼港，他說自己開巴士開了個幾十年，也沒試過碰到這麼奇怪的事，幸好自己夠命硬，不然就完蛋了！

睡著的女乘客

一晚，阿樂如常的把車由蘇屋邨開到數碼港，途中乘客不斷的下車，到了翠華街乘客已經差不多走了九成。阿樂通過倒視鏡看到車尾有一名女乘客，她低著頭，身體搖晃晃的，應該是睡著了。阿樂眼見還有幾個站就到總站了，他生怕女乘客坐過站，然後怪司機飛站，到時又擔耽誤自己下班。於是，阿樂便好心的提醒她：「小姐仲有幾個站就到總站啦！你邊個站落車㗎？」

那個女人繼續低著頭，好像聽不到阿樂的話一樣。阿樂見狀便再問多了一次，她終於用虛弱的聲線說：「下兩站落車⋯⋯」

到達下一個站後，車門緩緩打開，阿樂又望向了倒視鏡，他發現坐在車尾的那個乘客不見了，估計剛下車了。

阿樂心想：「九唔搭八！仲話下站落車，但係依家都落咗車啦！」

在巴士去往下站前，阿樂通過倒視鏡及潛望鏡確認了車上已經沒有乘客，開慣這條路線的阿樂清楚知道之後那幾個站根本沒有人會上車，於是他為了能早點下班回去陪老婆，決定飛站，直接開到尾站。

惡毒的眼神

差不多到下站時，他在儀表盤上看到亮起的落車鐘標誌及聽到落車鐘的鈴聲，但他並沒有在意，因為落車鐘有時候會失靈，而且

車上已經沒有乘客了，他便果斷飛站了。

就在快到總站前的一個站，突然傳來一陣急速的落車鐘鈴聲。

「叮！叮！叮！......」

好像有人惡意去按落車鐘，但車上已經沒有了乘客。阿樂再次望向倒視鏡及潛望鏡檢查車上是否還有人，結果還是沒看到人。

阿樂不放心，便大大的聲問了句：「仲有冇人？」

但是沒有人回應他。

到站後，阿樂沒有飛站而是把車停了下來，他從司機位下來，並檢查了車箱的第一層和第二層，真的空無一人，這時候他的心終於定了下來，回到司機位後，準備繼續開車。這時又聽到一陣急速的落車鐘鈴聲，他不敢再開車，並立即把車門打開，打開車門後那一陣急速的落車鐘鈴聲就停止了。阿樂望向倒視鏡，驚見剛才那個低著頭的女人，她用惡毒的眼神看著阿樂，下車前她惡狠狠地說了句：「下次唔好飛站，如果再係咁我唔會放過你......」當阿樂再回頭看，那個女人已經消失得無影無蹤。

究竟那個消失了又突然出現的女乘客，是人？是鬼？

唔放過你，是甚麼意思？

若再飛站，她會怎樣對付司機？

阿樂不敢再想下去。

血唇膏

這天男友 Max 約了新女友 Irene 去看新上映的超級英雄電影。因為第一次約會，Max 覺得一定要請女友看電影，留給女友一個大方得體的好印象，但「大花筒」Max 份糧已花得七七八八，惟有幫襯南昌電影院，據說這裡的戲票平絕全港。

「嘩！間家電影院咁殘舊㗎。」Irene 驚訝的說道。

Max 尷尬地笑著說：「BB 呀！呢啲電影院睇戲先有 feel ！」

兩人就這樣進入了影院。他們靠著影院裡微弱的燈光，好不容易找到相應的座位坐下了。幸好 Max 挑的電影不算無聊，電影沒有悶著 Irene，Max 也鬆了一口氣。

有人入咗廁所？

突然，Irene 的肚子感覺到一陣的翻山倒海，心想不知道是不是剛剛的晚餐吃錯東西了。Irene 見狀便立刻九秒九衝去最近的洗手間，她推開了一格的廁所門就衝了進去。

Irene 正在如廁的時候，她通過了廁所門下方的縫隙看到一個女人快速的走過，並走進了 Irene 旁邊的廁格裡，那個女人腳上穿著一雙鮮紅的高跟鞋。

Irene 頓時覺得很疑惑，心裡暗暗地說：「幾時有個人入咗嚟㗎？連入嚟果陣時推門聲都聽唔到嘅？」

不過 Irene 很快就消除了疑惑，覺得只是剛才在如廁的時候玩手機，並玩得太入神沒有聽到推門聲。

鬼用潤唇膏？

Irene 如廁完起來的時候，她不小心把袋中的潤唇膏掉了出來，潤唇膏意外地滾到了旁邊的廁格裡。

Irene 不好意思地說：「Emmm……小姐啊！我支潤唇膏唔小心碌咗去你嗰邊，唔知你可唔可以碌返出嚟畀我？」

在廁格裡的那個女人沒有說話，但是她把 Irene 的潤唇膏從廁所門下方的縫隙滑了出來。Irene 順勢接住了潤唇膏，然後走到洗手盤前打算搽一下潤唇膏。當 Irene 擰開唇膏蓋時看到，原本是白色的唇膏有一部分變成了紅色，明顯是被人搽過的，但 Irene 那天並沒有搽潤唇膏，所以她肯定是剛才那個女人動過自己的唇膏。

Irene 便開始用力的拍打那個女人的廁格門，並火爆地說：「喂！你係咪傻㗎！用人哋啲嘢……」

之後，Irene 便把那支唇膏掉到拉圾桶裡，氣匆匆的離開。但 Irene 發現洗手間的大門打不開，好像有人在外面用力拉著門似的。這時，那個女人打開了廁格的門，並優雅的走了出來。Irene 轉頭望向了她，Irene 被嚇得驚聲尖叫。因為那個女人的嘴上充滿鮮血，臉上沒有一絲血色，身穿染血的旗袍。那個女人對著 Irene 邪魅一笑後，就化成一團霧消失了。此時，洗手間的大門自動開了，Irene 立刻拉著正在看電影的 Max 狂奔出電影院，並發誓以後不再來這間電影院看電影……

問米

這天 Kevin 正在和朋友逛街，突然他接到了一通電話，那頭正是醫院打過來的。

護士在電話那頭說道：「喂，係咪陳 XX 嘅家屬？佢啱啱發生交通意外，情況唔樂觀，建議您過嚟睇一睇佢……」

Kevin 聽完後，立即搭的士趕往醫院。Kevin 到達醫院時，陳母已經在前幾分鐘離世了。Kevin 抱著陳母那冰冷的身體放聲大哭，可惜陳母已經返魂乏術了，而 Kevin 也見不到陳母的最後一面。

陳母顯靈？

在陳母離開人世的一個星期後，Kevin 在坐沙發上一邊看著陳母與他的合照，一邊想著舊日與陳母的快樂時光，不知不覺間在沙發上睡著了。

「Kevin，Kevin！我唔喺度嘅日子你要好好照顧自己，呢排天氣凍，記得著多件衫……」有一把慈祥的聲音在 Kevin 的耳邊說道，然後緊緊的抱著了他。

在睡夢中的 Kevin 甚至能感覺到擁抱時的溫暖，突然手機響了，突如其來的聲音令他醒了過來。

醒後的 Kevin 四顧張望，「究竟誰人抱我呢？」但最終還是沒能看見任何人。Kevin 能感覺到那人就是陳母，只有她才會對自己這麼關心。因為手機突然響起，陳母話未說完，Kevin 已驚醒了。之後幾天，Kevin 期盼陳母再次出現，希望她能以報夢的方式說出未完的話，但遍遍陳母沒有現身。於是 Kevin 上網查詢方法，在誤打誤撞間，他在一個網頁上看到了一個方法，那就是問米！網頁

的下方有詳細的店鋪地址，Kevin 便立刻前往。

最後的遺言

到達後，問米婆向 Kevin 索取了陳母的生辰、死忌和生前的隨身物品，只見問米婆放了幾個水果及一碗米在桌上便開始了問米的儀式。問米婆在問米的過程中不斷用手來回抽插裝滿米的碗，嘴裡還唸唸有詞。不一會，問米婆便停止了動作。

「Kevin，Kevin，媽好掛住你啊！」問米婆用陳母的聲線說。

Kevin 留著淚並激動的說：「媽！早幾日你係咪嚟過睇我？你有嘢未講完？你有咩需要啊？」

問米婆繼續用陳母的聲線說：「係，早幾日我有嚟睇過你，想講你唔使擔心我，不過記得燒埋我生前最鍾意嘅金頸鏈畀我......」

Kevin 聽後，隔天就把頸鏈燒給了陳母，除此之外，問米婆正確道出陳母的保單、銀行卡和密碼，給兒子提取金錢出來好好照顧自己。個人資料分毫不差，世事果真無奇不有......

逃了，逃不了！

新冠肺炎肆虐全球，在疫情最嚴重的時期，許多國家及地方對外國回來的旅客或市民都有嚴格的檢疫要求。例如台灣，回台的居民要按照規定居家檢疫14天。漁民峰叔在居家檢疫期間悄悄離家，到朋友屋企參加生日派對，最終被揭發。**而事件遭揭發的原因，不是有人舉報，竟然是因爲一條狗！**

峰叔是一位漁民，定期要出海捕魚。他有酗酒的習慣，不用工作的時候就會流連酒吧，喝至酩酊大醉。喝醉後就會四處遊盪，隨處大小解。試過有一次，他跌跌撞撞，向著人家商舖門前的地主爺便溺，被店主及其他同伴痛毆了一頓。地主爺是神靈，寬宏大量，對峰叔的瘋狂行為尚且能有怪莫怪；但碰著長期缺乏親人拜祭的無主孤魂，一旦冒犯了它們，就可大可小。

「你走開呀——」

「**你走開呀——**」一把暴躁的聲線從峰叔背後轟然響起。

此時，大醉的峰叔又失控地隨處大小解。

峰叔酒醉三分醒，他聽到有人怒吼，便強撐著眼睛四處張望，但發現山野裡空無一人，哪裡有人聲？

「可能是聽錯吧……」峰叔摸摸額頭，心想。

他繼續大解放，未幾，背後又響起警告：「**你走開呀——**」

峰叔擦亮眼睛，再度四處張望，山野裡確實空無一人，哪裡有人在呼叫？

他解放完畢後，穿好褲子就離開了。

當時天色昏暗，峰叔不知道此處正是因荒廢多年而弄致雜草叢生的──墓地！

終日頭重重腳浮浮

峰叔回家後就倒頭大睡，翌日隨同伴一起出海捕漁。

峰叔喜歡喝酒，但更喜歡出海的工作。一直以來，即使他前一晚喝得如何爛醉，翌日一投入工作，他就很專注和勤快。但今次不同了，他不知怎的，連日來都天旋地轉，頭重腳輕，腳步浮浮，平時熟練的捕魚手勢，如今通通失效，更連番犯錯，累及大隊漁獲驟減。

峰叔除了頭重重腳浮浮外，更一連幾晚發惡夢——發同一個惡夢：夢見自己大小解時遭背後的訓斥，訓斥的凶惡程度每次都把他嚇醒。

峰叔每次驚醒，都頓感奇怪：夢境與當日自己在山頭便溺的情況竟一模一樣？

日間軀體虛浮，夜晚又惡夢纏身，把峰叔折騰得不似人形，好不容易捱到落船的日子了。根據防疫規定，回台的居民要按照規定居家檢疫 14 天。

檢疫期間離家參加派對

回家後，峰叔連梳洗的力氣都沒有，就撲上床上「大昏迷」。

睡至第二天黃昏，電話的響聲弄醒了峰叔。

「阿峰，明晚屋企開派對，你來嗎？」電話的另一方是老友阿勤。

「阿勤，靠害咩？我要居家檢疫，14 日後你才找我啦！」峰叔被電話鈴聲擾了清夢，心情欠佳。

「你唔想探望一下 Dolly 仔嗎？你出海捕魚，把牠寄養在我屋企兩個星期，牠整天悶悶不樂，食慾不振。你再唔探佢，佢會餓死。」阿勤報告峰叔愛犬 Dolly 的近況。

「但我居家檢疫緊……」峰叔猶豫不決。

「你唔講，我唔講，無人知你出海回來的。仲有……我朋友帶了一支 84 年的頂級紅酒，可遇不可求！」阿勤用古惑的語調誘惑著峰叔。

峰叔聽到「酒」字，彷如感到一陣酒香撲鼻而來。峰叔霍地從床上站起來，準備整裝待發，出發去生日派對。

乖巧愛狗狂死大發

翌日，峰叔準時來到阿勤家門前，他期待開門第一個見到愛犬 Dolly。

門開了，果然是愛犬 Dolly，但峰叔期待被 Dolly 撲上來擁抱的畫面沒有出現，換來的是無休止的狗吠聲。Dolly 非常憤怒，好像看見敵人一樣，想撲上去一口就咬。峰叔嚇得一身冷汗，不禁嘀咕：「Dolly 一向很溫純聽話，終日黏著我唔放，與主人久別重逢，Dolly 應該興奮若狂才對。何解竟然……？」

阿勤見狀，幫忙拉開 Dolly，笑說：「Dolly 嬲你唔理佢，所以吠你啦！」

峰叔一路步進屋內，Dolly 仍不斷尾隨著狂吠，又發出憤怒的嗚嗚聲，好像快要要撲上來攻擊一樣。

峰叔甫坐下來，阿勤把名酒端出來，說：「看，84 年的頂級紅酒，無呃你的。」

峰叔看得雙眼發光，拿起酒杯準備迎接靚酒。但酒未到口，Dolly 已按捺不住，撲上去向主人雙手瘋狂嘶咬，頓時血流滿地，眾賓客都嚇得高呼尖叫。阿勤馬上報警，並將重傷的峰叔送院治理，「檢疫期間離家」事件最終曝光！

峰叔雙手要做手術，接下來又要接受法庭的審訊，可謂禍不單行。

孤魂報復，狗咬錯主人！

Dolly 把主人咬至重傷，隨時會被人道毀滅。峰叔很是不捨，也不明白牠突然狂性大發的原因。

這天，阿勤帶了一位朋友來探望峰叔，這位朋友當日宴會也在場，原來他是一位法科師傅。他一見到峰叔，已發現他有女靈體附身，但未及開口，Dolly 已率先向女靈體作出攻擊。不過，Dolly 誤中副車，咬了主人。

峰叔不解地問：「我嗜飲而已，但從不搞女人的，怎會招惹到女靈體啊！」

法科師傅質問：「我來之前，同女靈體通過靈。你是否曾經在山頭大小二便啊？它很可憐，墳頭長時間無人打理，已雜草叢生，現在仲加埋你的屎尿屁，它生氣到不得了。它警告過你，仲報夢斥責你，但你唔理佢！」

「……」峰叔聽著聽著，緩緩想起在山頭野嶺就地解決的往事，原來那把喝斥自己的聲音，是來自……

外賣仔撞鬼實錄

新冠肺炎疫情下市道低迷，不少行業生意都大受打擊。不過餐廳食肆的外賣生意就越做越好，很多被勒令停業的健身教練、酒吧員工等都轉行做「外賣仔」，幫補家計，阿俊是其中一個例子。無工開已夠黑仔，估唔到送外賣期間頭頭碰著黑，更無辜撞鬼！阿俊被嚇個半死，翌日更辭職不幹呢！

阿俊是一名健身教練，在疫情最嚴峻的時期，健身中心被勒令停業，開業無期，他唯有馬死落地行，轉行做「外賣仔」。當時正值七月鬼節，阿俊都無有怕，有得開工，早上和下午的 Order 他通殺，就連夜晚的 Order 都照做。

被封死的密閉空間

這天晚上 8 點，阿俊到 X 寧大廈 903 室送外賣。入 lift 後，一直沒有異樣；但去到 6 樓時，電梯突然停下來，之後開門，電梯門開啟那一刻，湧入一陣寒風，寒風很冷，吹得阿俊全身發抖。阿俊頓感心寒，心寒的原因除了因為那陣寒風，還有他感覺到電梯內突然多了一個「人」，眼看不見，但黑壓壓的身影令阿俊完全感受到「它」的存在。

阿俊不敢向後望，他不停狂按關門鍵，但電梯門全無反應。過了一會，電梯門終於關上，途中亦自動停過幾層，好不容易終於去到 9 樓。

到達 9 樓後，阿俊以超快的速度離開電梯，剛感覺鬆了一口氣，但壓力又來了，因他意識到自己墮進怪異的地方。怪異之處是 9 樓有三個單位，分別是 901、902 和 903，三個單位都封死了，門口被封死了，根本無可能有人出入。但叫外賣的客人明明是說

「X寧大廈 903 室」啊！

此時，他掏出電話，致電給落單的客人，但換來是長響的回音，代表這電話號碼已無人使用。

「我頂，邊鬼個咁大整蠱，拿張太空卡叫外賣，仲叫我送去一個無人的單位。好玩咩？！」

阿俊禁不住粗話連篇，因他太憤怒了，怨恨竟然有人無聊都咁，想出這個「玩意」來整蠱無辜的人。

他火冒三丈，無處發洩，唯有狂按電梯的按鈕洩憤，呼喚電梯快點上來 9 樓，他真的想快點離開這鬼地方，他還要追多幾張外賣 Order，賺多點錢呢！

在 9 樓逃不掉

電梯很快上來 9 樓，阿俊衝入 lift，按「G」鍵後瘋狂按關門按鈕。

電梯門關上了。不一會兒，電梯門開了，正當阿俊想舉步衝出去時，他發現仍在 9 樓。

咦？9 樓，不是按了「G」鍵嗎？

阿俊非常不解，晦氣地返回電梯，繼續按「G」鍵和關門按鈕。他深深呼吸了一口，好讓自己快點心平氣靜。

「叮」一聲，電梯門開了。

阿俊準備舉步離開之際，咦？又是 9 樓？

阿俊百思不得其解，於是，又返回電梯。

這次，他打醒十二分精神，小心翼翼地按著「G」鍵和關門按鈕，也專注留神地看著樓層按鈕不斷向下跳動著：9、8、7、6、5、4、3、2、1、G。

「叮」一聲，電梯門開了。

今次應該沒錯了吧！阿俊鬆了一口氣，拿著送不出的外賣離開

電梯。

咦?怎麼仍是9樓?

確實沒錯,眼前的樓層確是9樓,並非地下大堂。

但剛才電梯確實下降緊,樓層按鈕亦明明已跳到「G」的!

阿俊開始有恐怖的想法,心想:「唔係咁邪吧,無工開已夠黑仔,唔係要黑到撞鬼吧!?」

阿俊倒抽了一口涼氣,強作鎮定地返回電梯。

他再次打醒十二分精神,又再度小心翼翼地按著「G」鍵和關門按鈕。他目不轉睛地盯著上方的樓層顯示牌,肯定升降機正在下降,直至去到「G」,電梯發出「叮」一聲,代表已到目的地。

「今次無錯吧!」阿俊準備步出電梯時,咦?怎麼仍是9樓?!

阿俊開始發慌,為甚麼走極都走唔到,明明感覺到電梯下降緊,但為甚麼一直徘徊在9樓?究竟想點呀?

背後的一團黑影

他六神無主,突然想起:「不如打電話返公司求救。」

於是他步出電梯,站在9樓的一角致電返公司。

Shit ——!電話竟然收不到訊號。沒理由吧,剛才還打到電話,為何現在會接收不到訊號?

正當他思索之際,突然有一個黑影在身邊掠過。

是誰?

阿俊四顧張望,沒理由吧!這裡一眼見哂,三個單位已封死,無人出入,除了他自己,還有誰走來走去?

突然感到身後一陣涼風向他吹拂,亦有好像裙子的東西在拂拭他的小腿,一個密閉空間哪來的陰風啊?他馬上雞皮疙瘩起來,低著頭發瘋地衝入電梯,不敢抬頭望,只管狂按「G」鍵和關門按鈕。

他一邊按，一邊哀求：同你無仇無冤，我搵食啫，唔好搞我啦！大佬，我搵食啫，俾條生路行下啦！

他嚇得軟癱在地，慌張地等待電梯徐徐下降；又不敢張開眼睛，很害怕見到電梯門打開時自己仍在 9 樓。

消失的三小時

「先生，先生！你無事嘛？先生，先生！」大堂保安不斷叫著。

阿俊緩緩張開眼睛，眼前有兩個保安正在呼喚著他。

地下大堂燈火通明，跟 9 樓烏燈黑火，彷如兩個世界。

強光照射著阿俊，他知道終於返回地面了。他蹣跚地步出電梯，一看大堂的掛鐘，又嚇了一跳。

「宜家 11 點了？」阿俊驚訝地問。

「係呀，夜晚 11 點了。」保安看看手上的手錶，確認時間無錯。

「我來送外賣時才 8 點，我已在九樓逗留了 3 小時？！」

「8 點？所有人入來都要掃一掃安心出行、探熱和登記個人資料，**先生，我們無你入來的記錄啊，你點樣上到 9 樓的？**」大堂保安拿著資料向阿俊查問。

阿俊受到連番莫名其妙的驚嚇，已不支暈倒了。

犬魂救主（上）

　　夜市是泰國別具特色的風景線，這裡匯集了琳琅滿目的手工藝品和美食小吃，旅客 Tammy 乘機到各地攤湊湊熱鬧，其中她對一副色彩艷麗的手鐲情有獨鍾，一看就愛上。她付錢後馬上戴上，在接住的幾天旅程她都沒有除下，返港後亦一直載住，除了洗澡那十幾分鐘，其餘時間她都與手鐲形影不離。

　　故事亦由這副手鐲揭起序幕......

對金鐲一見鍾情

　　Tammy 大學畢業後便搬出來獨居，寓所只有一百呎，非常迫狹，幸好 Tammy 天生身材驕小，才勉強住得下。加上她有潔癖，經常打理家居，因此，斗室顯得光潔清雅。家裡沒有甚麼陳設，除了幾個相架外，其他就是必不可少的床單被舖和矮櫃。Tammy 喜歡狗，以前家裡也養過一條狗叫叮叮。後來，叮叮因病離逝，Tammy 就把她和的叮叮的合照放入銀包，也放在床頭。

　　平日蝸居在陋室裡，非常鬱悶；Tammy 很喜歡旅行，放假時能到不同國家體驗，在廣闊的土地上奔走，真的人生一大樂事。每次去完旅行，她尤其顯得精神飽滿，活力充沛。但今次從泰國回港後，感覺卻差天共地，不但心情沒有變得愉快，反而抑鬱起來，每晚睡覺都重溫著兒時父母吵鬧和互相打罵的悲哭聲，有時夢中傢俱摔地粉碎的聲音會把她驚醒，幾乎每晚都在淚痕中渡過。

　　夜晚睡不安穩，早上工作又哪有精神？工作上經常犯不小心的錯，換來老闆的臭罵，欠佳的心情更形惡劣。Tammy 唯有迫自己快點恢復心情，加快完成工作，好讓自己早點回家休息，希望翌日再提起精神做好工作。無奈日復日的兒時惡夢不斷纏擾著她......其

實，破碎家庭的包袱她早已放下，大學精彩的宿舍生活令她樂不思蜀，出來社會工作後要蝸居劏房，她也沒有負面感覺，以前痛苦的回憶為何突然跑回來？Tammy 非常不解。

與「鬼」同住

後來情況越來越可怕，除了發惡夢，屋企變得越來越污糟，對有潔癖的 Tammy 來說簡直癲狂。例如地板有很多細碎的毛髮，掃之不盡，吸極都有；廁所牆身經常濕漉漉，明明沒有沖涼，水漬從哪裡來？此外，常有黑影在身邊略過，轉眼即逝。有時，Tammy 在洗澡，都感到好像有人走了進來......哪種被偷窺的感覺令她很不安！

「吓？你一個人住，沖涼時哪有人走入來？？」好友阿魚聽著 Tammy 一路以來的離奇遭遇，不禁大吃一驚。

「我都唔知呀......屋企好像住多咗一個人咁，留下很多灰塵。見到地上、牆上和枱面上的毛髮和塵埃，清極都仲有，我快要癲了！夜晚又瞓得唔好，經常發惡夢，我已經吃安眠藥了，但夜晚都是惡夢連連。**我就快死了！！**」Tammy 握實拳頭，向腦袋猛錘。雙眼滿佈紅筋，臉容憔悴，情況確實令阿魚很擔心。

「你是否在泰國惹了甚麼回來？」阿魚回想起，她的一連串怪事，都是泰國之旅後發生。

「沒有呀，在泰國的旅程裡很順利，沒遇過甚麼特別的人和事。為了不要招惹鬼神，我沒有經常神廟，也沒有拜過神，只是在各式地攤遊走，買一些手信，你看，這副手鐲就在地攤買的，我很是喜歡，天天戴著。在泰國那幾天，我想不起有甚麼異樣。」Tammy 一邊說，一邊把玩著手上的手鐲。

「不如你養狗呀，養黑狗，有人話黑狗可以辟邪，可以保護你。」阿魚提議道。

「小姐，我屋企有幾大呀，我咁嬌小，才勉強住得下，哪有空間養多條狗？更何況，自從叮叮死後，我已決定不再養寵物了。」Tammy 憶起叮叮的往事，不禁傷心起來。

阿魚不小心喚起 Tammy 對叮叮的痛苦思念，很是內咎，於是迅速轉移其他話題，「Tammy 疑似撞鬼」的話題就此結束。

情況變本加厲

接下來的日子，屋企的灰塵和毛髮越來越多，更堵塞去水位，令浴室經常水浸。「有多一個人在屋企行來行去」的感覺越來越強烈。這晚，更有所行動！

Tammy 服了安眠藥後上床睡覺，還未入睡，已感到全身發麻，無法郁動，好像被鬼壓一樣。雖然全身無法郁動，但五官仍如常操作，她眼見青色和灰色的影子在眼前恍動；耳邊聽到一堆鬼食泥的聲音，一股難聞的煙味湧入鼻孔，她極度恐怖。**撞鬼，已不是懷疑了，是百分百肯定，它正在挑釁著自己！**

犬魂救主（下）

這晚半夜睡到一半，Tammy 睜開眼睛發現身體完全不能動，心想：「是被鬼壓嗎？」這時，發現肚子上有團黑黑的東西，一直往臉上靠近，**它正想攻擊自己！**

嚇退惡鬼

她嚇得哭出來，心中不斷默唸「阿彌陀佛」，但一點用也沒有。全身不能移動半吋，嘴巴發不出聲音，只有眼睛能看。她眼巴巴看著黑色的影子越來越清晰，它全身長滿長毛，神情凶惡，張牙舞爪，好像要把自己吞噬一樣！

就在這時，聽見很響亮的狗吠聲，Tammy 看見一個好像叮叮的愛犬身影從門口衝了進來，牠背上的毛豎起來，衝上來攻擊嘶咬壓在 Tammy 身上的黑影，不一會兒，她就突然可以動了！她爬起來，滿身是汗，打開燈看房間還是跟平常一樣，那團長毛怪的黑色影子不見了。

Tammy 忍不住哭了，不斷向四周呼叫：「叮叮，是不是叮叮回來救我了？你過世之後，我一次都沒有夢到你，還以為你不回來看我了。」Tammy 沒想到愛犬叮叮竟然回來保護她。自那次開始，住在這間劏房再也沒有感到不適，被「奇怪東西」偷窺和跟蹤的感覺也沒有了。

靈魂伴侶

這天，Tammy 如常上班。突然，被隔離 office 的徐太叫住。Tammy 很少和徐太交談，因為徐太天生陰陽眼，容易見到靈體，平日的話題總離不開鬼神，有時又會失驚無神說：「我見到有個靈體躺在我們枱底……」

跟這位「高靈人士」相處，實在太有壓迫感和心理壓力，Tammy 受不了，所以很少主動跟她攀談。加上徐太經常外出公幹，一年只會在走廊撞見一、兩遍。

「徐太，你好？」Tammy 被徐太叫住，無奈地停下來，強顏歡笑地跟她搭訕。

「Tammy，你以前是不是有養狗？」徐太一邊說，一邊偷瞥 Tammy 小腿後的位置。

Tammy 扭頭看看，甚麼也不見，但已足夠令她驚喜萬分，道：「對啊！你怎麼知道？你見到牠？」

徐太說，這幾天常常看見一隻黑色的大狗跟著她出出入入，她等 lift 或外出用膳時，牠會乖乖地趴在 Tammy 腳邊，下班就跟著一起回家。

Tammy 聽完後，已不禁淚流滿面：「叮叮還記得我，早排我屋企有怪事發生，牠特地從彩虹橋回來保護我；可能驚我之後還有危險，所以繼續留下來。雖然我看不見牠，但是我感覺到她在我身邊。經徐太你一說，我更加肯定牠的存在。」

借屍還魂

兩人圍繞著叮叮這話題，傾得甚投契。

下班後，Tammy 更邀請徐太回家坐坐。徐太是高靈人士，她一走進屋內，已感到有股邪氣在屋內充斥。她眼明手快，撿起枱上一個金鐲，說要帶走它，並表示會找有道行的師傅替金鐲內的靈體超度。

Tammy 不禁一怔，但馬上心領神會，終於明白屋內的一切怪事原來是由金鐲而起。

徐太事後表示，原來 Tammy 從泰國買回來的金鐲有靈體寄居，靈體身前是一個長滿長毛的男子，因長相奇怪，所以受家人和

村民的唾棄。家人覺得他是邪惡的怪物，於是用火燒死了他，這金鐲就是他的遺物。Tammy 回港後屋企突然污糟邋遢，毛髮處處，又感到有人偷竊和跟蹤，全是長毛鬼作怪，長毛鬼故意做出騷擾的行為，下一步就會佔據 Tammy 的身體，借屍還魂，誓要向家人和報復。

再續人狗緣

Tammy 曾經養過一條狗叫叮叮，陪伴了她一家十三年時光，在父母鬧離婚的痛苦日子，是叮叮陪她捱過去。後來，叮叮年老過世時，讓她傷心不已。

今次叮叮捨命相救，Tammy 非常感動。後來，透過徐太的幫忙，找了一位法科師傅替叮叮超度，希望叮叮能再世為人。

超度法事當天，Tammy 在心中許願：「叮叮，你是家庭的一份子，也是我重要的童年玩伴。你快點投胎，如果有緣，我希望你再做我的親人。」

鬼士兵

回歸前，英國長期派軍隊駐守香港，其中地面部隊大部分是「尼泊爾僱傭兵」，俗稱「喀喀兵」。

喀喀兵要負責邊防守護的工作，也要為市民服務，例如二戰後，每遇到颱風、水浸、山泥傾瀉等嚴重事故，喀喀兵會協助救援，包括清理災後的街道等。香港回歸祖國後，喀喀兵已完成歷史任務。但不少退役了的喀喀兵繼續留守，並視香港為家；即使身故，仍默默守護這個家園……

巨人陣身後的黑氣

在上世紀六、七十年代，有大批非法入境者湧進香港。據聞，當時有個非法入境者阿齊，他偷渡來港後，無法為生，於是孤注一擲，淪為小偷，四出持刀打劫，以身試法。這晚，他打算爆竊粉嶺一帶的商舖單位，正當他要把店內現金掃進大背囊時，赫然發覺身後站著一排身高兩米的巨人，五人一字排開，振臂握拳，眼神凶巴巴的瞪著小偷阿齊。他們身穿迷彩服裝，個個皮膚黝黑，阿齊雖然目不識丁，但已一眼認出這班巨人就是喀喀兵。

阿齊還未識死，他心裡暗忖：「一間小店竟有喀喀兵駐守，難道小店收藏著國家級的珍寶？」貪念破壞了理智，阿齊天真地以為只要擊倒巨人陣，他就可以奪得珍寶。他投奔怒海，大命死唔去，還成功偷渡來港，天下間還有甚麼事令他害怕的？他又自以為學過功夫，食過夜粥，打起架來非常狠勁，從不留手，這一戰不是全無勝算的。

很快，小偷阿齊後悔莫及了，因為巨人陣身體一動不動，憑著靈力已隔空令小偷阿齊重重摔在地上，全身無法動彈。巨人陣身

後的黑氣如烈焰燃燒，並步步向小偷阿齊進迫。他看得一身冷汗，當下恍然大悟：眼前這班喀啹兵不——是——人——啊！

嚇退非法入境者

小偷阿齊眼球震顫，驚慌得失控大叫，叫聲驚動街坊，最終被捉拿送官究治。之後粉嶺街坊相信那夜全靠喀啹兵顯靈，阻止店舖被爆竊。有傳，他們為了感激死後仍守護香港的喀啹兵，於是紛紛走到「印度廟」拜祭。根據歷史記錄，粉嶺皇后山軍營印度廟是1960年代落成，由駐守該營地的尼泊爾喀啹兵建造，供奉印度教毀滅之神濕婆（Shiva）。街坊們到訪「印度廟」拜祭，祈求神靈繼續守護他們，免受賊人的洗劫。當時，到訪印度廟的信眾越來越多，令廟宇一度車水馬龍，人聲鼎沸。

不過，1996年之後軍營的喀啹兵撤走，自此印度廟遭到棄置。但建築物的歷史價值猶在，2010年被評為三級歷史建築。

馬姐冤靈（上）

位於上環的「太平山街」，一點也不太平，這裡曾經發生很多人命傷亡的悲劇，死於非命的患者變成孤魂野鬼後，在人間流離朗盪，恫嚇世人，「太平山街」鬼影幢幢，居民寢不安寧。

「太平山街」不太平

在分享「太平山街」猛鬼故事之前，先回顧一下這裡的慘痛歷史。

「太平山街」有一座廣福義祠，建於清朝咸豐初年，是一個專為四處漂泊的人提供住宿，以及讓死者離世後獲得供奉的地方。這裡是生人和死者共處的地方，既有生人居住，同時也有靈柩和屍體。

後來多場鼠疫爆發，廣福義祠一帶成了停屍地。祠內供奉著地藏菩薩和十王殿的神龕，讓那些客死異鄉的冤魂得到解脫。

及至1869年，根據當時傳媒的形容，廣福義祠環境衛生惡劣，是「人間地獄」。於是，當年的港英政府在上環普仁街建立了第一所華人醫院——東華醫院，解決廣福義祠醫療及衛生的問題。

廣福義祠收容了在生的無家者和死後的無主孤魂，每個「住客」都有其悲傷往事，令這裡充斥著大量怨氣，負能量爆燈。雖然有神靈加持，每天亦有香火供奉，仍無法解除「人間地獄」這個魔咒。

警員被嚇至失語

「太平山街」有很多猛鬼傳聞，其中一單更有報紙刊登過。1966年11月18日的《工商日報》就報道了警員撞鬼事件。話說，一名年約二十多歲的張姓男警員，他當差只有一年左右，於灣仔峽

警署駐守，每晚深夜都要單獨在半山中峽道巡邏。某晚，他巡邏到中峽道旁邊的一條小斜路時，眼前突然出現了一個看來只有十多歲、身穿馬姐衣服、梳了一條長辮的婦人，她伏在石壆處，背向馬路面向山。警員覺得有異，於是上前查問，這時婦人回頭，竟是面色蒼白、七孔流血的恐怖鬼樣，更向他怒目而視。

警員嚇得連警帽也甩掉，連奔帶跑逃命到警局，途中不斷亂叫「唔關我事！唔關我事！」

回到警局後曾經一度無法言語，手腳僵硬全身發震，要休息近一個小時，才能講出當時的撞鬼經歷。

馬姐生前被姦殺

後來，有人翻查，發現撞鬼事件中的馬姐，背後有莫大冤情。

話說，在上世紀二十年代，「太平山街」發生一宗凶殺案。一位年輕貌美的馬姐被一名外國人強姦並殺害，據聞，馬殺被殺後，被移屍至一個空置的單位，最終鄰居發現單位內傳出臭氣，始揭發事件，但兇手一直逍遙法外，沒有被逮捕。

法律無法懲治犯案的人，被害馬姐死不甘心，經常顯靈，恫嚇路過的人，令半山中峽道常被認為是猛鬼之地。坊間亦流傳著東華醫院附近一條長樓梯，每天晚上，醫院道的大閘都會鎖上，但就常常有人目睹馬姐的靈體穿越鎖上的大閘，在梯間行上行落……

一些老差骨會提醒新仔，若在晚上至凌晨巡邏時，遇上一個女性在路上出現，不論對方正在做甚麼也好，都要視而不見，直行直過就算。皆因馬姐（女鬼）是在尋找報仇對象，若不尋得害她的兇手，它絕不罷休……

馬姐寃靈（下）

鬼神之說，寧可信其有，不可信其無。若有拜神儀式，也應入鄉隨俗。對鬼神作出挑戰和冒犯，隨時會招來淒慘的下場……

文先生睇中太平山街一個住宅連天台的唐樓單位，與太太和17歲的兒子 Patrick 舉家遷入。兩夫婦從小家中拜神，入伙這種頭等大事，拜五角、安神位、地主等，夫婦倆都樣樣做足，唯獨兒子 Patrick 中三信教後，就很抗拒點香和拜神。在入伙儀式中，兒子全程沒有參與，只在一旁打機和跟網友 WhatsApp 聊天。其實，他是基於宗教信仰而不參與儀式，還是藉詞偷懶，好讓他可以繼續打機耍樂，就不得而知。

入伙祭品未燒完的後果

不過，好肯定他對鬼神非常輕視。事緣，當文氏夫婦拜祭完畢後，就著兒子到樓下燃燒衣紙及香燭。在場的風水師傅更千叮萬囑 Patrick 要待祭品全部化成灰爐，才能離開。Patrick 表面說好，實則在盤算如何「偷工減料」。

他按指示到大廈樓下一條馬路旁邊，開始在鐵桶內燃燒祭品。期間有很多途人經過，Patrick 覺得自己畢竟是一個追上潮流的年青人，如今跍在路邊燒紙衣，覺得很丟臉。於是勉強地堅持了十數分鐘，未待祭品化成灰爐，Patrick 就用水淋熄了火種；然後把鐵桶移到老遠的垃圾房，心想父母和風水師傅一定不會撞破！計劃得逞後，他致電母親，表示「已完成任務」，然後逕自去約人睇戲了。

不尊重鬼神，靈體被冒犯

以為人不知，鬼不覺？！一星期後，已有事發生！
首先是家中常常無故出現奇怪聲響，明明兩夫妻在房，大廳就

有腳步聲行來行去，有時廚房又會有洗碗和炒菜的聲音，但根本就沒有人入廚房，查看時都是空空如也。即使全家不在屋企，但家裡的物件都會無故被移動。但一家人平時都各有各忙，對這些怪事都沒有深究，還推想是自己記錯或聽錯。

一個月後的某天晚上，文太先行入房，文先生繼續在廳睇波。忽然，文先生聽到有人敲牆，敲得嘭嘭聲，沿著聲音的來源尋找，發現是從兒子睡房傳出，於是連忙入房查看，竟然見到兒子 Patrick 跪在地上，以頭向牆身不斷撞擊，就似是向牆叩頭一樣。

文先生見狀大驚，他強行拉着兒子，但 Patrick 卻一動不動，無論文先生如何使勁，兒子的身軀都沒有移動半吋。文先生腦海突然湧出這月來屋企發生的靈異怪事，不知哪裡來的靈光一閃，便對著四周的空氣不斷說對不起，並呼叫：「有甚麼得罪的請勿見怪，有甚麼需要，我們盡力幫忙。」

話音剛落，Patrick 即時暈低，兩夫婦夾手夾腳抱起兒子，衝落樓上車去醫院。文先生事後回想，說當時嚇到連大門及鐵閘都沒有關，但第二天下午回去時，卻發現門和鐵閘都被「人」好好關上。

屋企竟是兇案現場！

兩日後文先生找法科師傅上門幫忙，他告訴文先生屋中其實住有一位馬姐，她被殺後遭兇手移屍到這個單位裡。Patrick 不肯上香，又沒有待祭品完全燒完就離開，令女鬼（馬姐）感到被冒犯，於是找機會教訓他。其實，馬姐一直跟著 Patrick 身後，最多時間是睡在 Patrick 的床上，換言之，兒子一直是與馬姐的靈體一齊瞓！

師傅與女鬼（馬姐）溝通後，了解它的遺願，便做了一場法事，又在家中進行清屋儀式，但文先生得知這間屋發生過兇案後，也無法再住下去，很快舉家搬走了。法事完畢後，女鬼（馬姐）離開了單位，但它仍是冤魂不息，每晚在街上尋尋覓覓當日害死它的人……

紙紮危情（上）

「悉悉——！悉悉——！」

Benson 掛住睇手機，不知幾時開始，Lucy 已甩了 Benson 的手。他聽到怪聲，於是循聲音的來源向後望。

一個面色慘發、面腮塗得鮮紅的鬼臉突然撲了過來，Benson 嚇得倒在地上。他抬頭再望，眼前的紙紮公仔四肢生硬、跌跌蹌蹌地向前行。Benson 捲曲身體，瑟縮在地上，不斷驚呼狂叫，雙手亂抓。雙眼緊閉，不敢隨處張望。

「嘩哈哈——！玩你咋——！」突然，爆出瘋狂的笑聲。

Benson 掙扎了一會，不禁稍稍張開眼皮，看個究竟。

原來——！

原來 Lucy 在搞鬼，她竟然為自己化個死人妝，然後穿起紙紮服裝來嚇他。

扮紙紮嚇人

Benson 雙腳抖震，呆若木雞。他極力整理思緒，回想究竟發生了甚麼事。

「做咩呀，嚇到傻咗？都話咗玩你咋！」

Lucy 扶起全身發抖的男友，不斷拍他膊頭，作出安撫。

Benson 喝了一啖水定驚，良久，才回過神來。他抬頭責罵道：「好玩唔玩，玩嚇鬼。這裡是甚麼地方，紅磡呀！你不會不知道。在這個咁邪的地方玩紙紮公仔嚇人，想死咩！」

「鬼叫你掛住睇手機呀——！我們剛剛拍拖咋，Honey Moon 都未過，你已經睇手機多過睇我啦。之後拍拖拍耐咗，你直頭唔理人啦！」Lucy 嘟起嘴巴，嬌嗔地埋怨道。

「啲西客囉，我都放咗工啦，又 send email 又 send WhatsApp，改呢樣，改嗰樣。唔覆唔得！覆遲啲，個客人都發老脾。張設計圖，改了十幾廿次都唔滿意。又話白色唔夠白，黑白唔夠黑......」Benson 把西客的惡行如數家珍。

「夠啦，聽到我頭都痛埋啦！」Lucy 截斷了男友的話。

Benson 撫摸女友雙手，柔情地說：「我咁辛苦工作，都是為了我同你更好的生活。你是我的 No 1！好吧，我以後見你，唔望手機，只望住你，雙眼只有你——全程只睇住你——甚至睇晒你全身。」

「哈——！睇晒我全......你就想。」Lucy 舉起拳頭，作勢要打。

「係呀，我係好想。快點返你屋企，我哋......」Benson 開始唔正經，對女友毛手毛腳。Lucy 甜蜜微笑，沒有反抗。

紅磡的靈異傳說

他們回家的路上，紅磡已陰雲密佈，有些東西已蠢蠢欲動，乘勢待發......

紅磡，有一座鎮煞寺廟——觀音廟。紅磡觀音廟早在清朝中晚期已興建。

在建廟前，紅磡只是一片黃泥石頭的爛地，四周一條人口稀少的小村落。咸豐年間，曾有人想開地作為農田，誰知開始鑿地後，地下竟湧出大量血水，有村民認為是掘地弄傷了龍脈，所以噴出血水。這些血水，就是龍的血液。堪輿學家覺得事態嚴重，若不處理，紅磡將大禍臨頭。於是，叫村長在噴出血水的位置興建一座觀音廟，鎮住神龍。

當時村落少人認識，噴出血水之後無人不識，人們更索性把這個地方叫紅磡，「紅」代表紅色水。

觀音廟既是為鎮煞僻邪而建，自然有觀音神力保護。二戰期

間，日軍飛機曾對九龍發動空襲，炸彈更集中在紅磡一帶，當時觀音廟附近所有房屋都幾乎被炸為平地，唯獨只有觀音廟安然無恙。

紅磡觀音廟，最為人熟悉的就是「觀音借庫」。此外，就是紅磡鄰近「大酒店」，附近紙紮店、花店和棺材舖眾多，一到夜晚，路經此處時環境氣氛直教人不寒而慄。少女 Lucy 家住紅磡一個唐樓單位，父母已移民外國，留下 Lucy 一人在港工作。這晚，她竟然唔識死，為了整蠱男友，拿鬼神開玩笑，結果......

紙紮危情（下）

「哎喲——」Lucy 突然尖叫起來，響亮的叫聲和迴音劃破了寂靜的街頭。

「咩事呀？」Benson 大驚，見 Lucy 腳步不穩，連忙扶實她。

「我隻腳好像踩到嘢！」Lucy 痛苦萬狀，舉起右腳，指著右腳腳尖的異物。

Benson 把 Lucy 倚靠牆邊，然後彎起身子端看。

他發現有一根小釘子插在女友鞋底，釘子明顯刺傷了腳趾頭，鞋尖隱約滲出了血水。幸好釘子插得不深，輕輕一鑽，即可拔出。他又仔細查看女友的傷勢，大腳趾被刺傷，血液已染紅了其他腳趾。不過，傷口不是太深，對學過急救的 Benson 來說很容易處理，他用清水清洗患處，再貼上藥水膠布，三兩下手勢就搞定，護理技巧非常純熟。

「我背你回家吧。」Benson 二話不說便蹲在地上，雙膊向著 Lucy。

「哦⋯⋯」看著男友溫柔的包紮手勢，以及硬自己回家的風度氣慨，好像老土的電視劇情，但已直教 Lucy 感動得不能言語，只輕輕應了一聲，就跳到男友的背上。

Lucy 把頭靠在男友溫熱柔軟的肩膊上，不一會兒就睡著了。

大家都沒發現，豆大的血珠已越過藥水膠布，一滴滴滲出來⋯⋯

陰雲密佈

男友按著 Google Map 地圖索驥，很快查找到女友的屋企。噢，竟是無 lift 的唐樓！男友一鼓作氣，捱了三層樓梯，終於到達家門。

Lucy 醒來了，她在男友的攙扶下，一瘸一拐地進了家門。

男友透過微弱的光線找到電掣的方向，於是準備開啟大廳的燈。

「不要開啊──！」Lucy 突然大叫。

「黑矖矖，仲乜唔俾開燈？」Benson 不解地問。

Lucy 低著頭，幽幽地說：「氣氛好啊！」

對女友的暗示，Benson 馬上心領神會。

「ＢＢ你曳曳呀，如此猴擒？不如讓我先看看看你傷口吧。」Benson 忍住焚身的慾火，此刻他還是比較著急女友患處的情況。

男友正要彎下身軀之際，女友順勢托著他的下巴，瞬間轉移了他的視線。兩人手牽手步入房間，展開了連場的翻雲覆雨。

Benson 享受著水乳交融的歡樂之際，也不禁狐疑：「BB 一向沒有塗香水的習慣，今天也不覺她有塗，為何突然有股濃烈的香水味襲來？而這種味道給人一種濃烈的刺鼻感，絕不是文青少女喜歡的款式。」

加上，Lucy 老練的床上姿勢，也教 Benson 暗暗吃驚。

Benson 轉念一想，俗語說：有得食唔食，罪大惡極吧。既然 BB 放下戒線，盡情解放，自己就好好配合！

奇怪的頭髮

第二朝，Benson 先醒來，他要打開窗簾，讓美好的陽光透進來。但他還未伸手出去，已及時被女友按停。

「唔好開啦，很燦眼呀──！」Lucy 嬌慎地說。

「好啦，唔開。」Benson 對女友千依百順。

兩人繼續在床上依偎了一會，然後各自去洗澡，Lucy 先洗，然後到 Benson。Benson 一走進浴室，看見地下去水位佈滿長長的頭髮，髮絲密雜地綑著一團，令人不禁雞皮疙瘩。

「難道昨天太激烈，抓傷了她的頭髮？」Benson 自嘲了一下，但不一會兒，就覺得不妥了！ＢＢ是男仔頭，何故有如此長的頭髮，她是獨居，沒有其他人，長髮是誰留下的？

死人化妝

Benson 洗澡完畢後，返回房間。

此時，ＢＢ坐在梳妝枱前梳頭化妝，Benson 瞥了一下她的妝容，不禁嚇出一身冷汗。BB 好歹都是十八歲的美少女，化淡妝或索性素顏都一樣明艷照人，實在不用那麼重手，又用鮮紅色唇膏塗口紅，又把臉蛋化到五顏六色，又把眼皮塗到好像「熊貓眼」一樣，誇張一點說，「死人化妝」也比她好看。

「ＢＢ，你做乜化成咁？好像平時一樣就可以了吧！」Benson 溫柔地說。

Lucy 面色一沉，說：「咩呀？好難睇咩？你嫌我唔夠靚？」

Benson 馬上搖頭，擺擺手打圓場：「你是 BB 嘛，BB 要化妝的嗎？BB 一出世已很靚。」

Lucy 吱一聲笑了出來，含羞答答地說：「我們要上班了，快遲到了。」

Benson 見女友沒有卸妝的打算，但又怕惹她生氣，只好硬著頭皮，跟她一起外出上班。

沿路上途人都打量著 Lucy 這個美艷過火、與年齡不相襯的造型，女友完全不當一回事，繼續與男友打情罵悄，男友也只好落力配合。

動起殺機

接下來幾天，Benson 都在 Lucy 家過夜，過著同居的生活。但同居的日子並不舒適，因 Lucy 的情況越來越古怪。

除了烏天黑火都不可開燈外，每晚沖涼，去水位仍舊有一綑綑長髮。半夜 Lucy 又會坐在化妝枱自言自語。

Benson 終於經不起好奇心，有晚他悄悄行近，嘗試聆聽她在說甚麼，斷斷續續好像聽到：「我有乜唔好......你揀佢唔揀我......」

聽到此處，Benson 感到極之不對勁！

正當 Benson 整理自己思緒之際，突然瞥見女友已轉過頭來，凝望著自己。

Benson 沒料到被發現，嚇得跌坐在地上。此時，女友目露凶光，拿著剃刀的刀片，向著自己的方向緩緩走來。

突然力大如牛

驚慌過度之下，Benson 雙腿好像癱瘓了一樣，不能動彈，他勉強在地上爬行。一邊爬，一邊拾起不同的硬物擲向「女友」，試圖令「女友」清醒過來。

但「女友」毫不痛癢，更力大如牛，能雙手舉起 Benson，再把他狠狠擲在地上，口裡繼續罵道：「負心漢，我死了你都不回來看我！」

Benson 繼續痛苦掙扎，隨手拈來就擲，也顧不及是甚麼東西了。

「好痛呀，你痴咗線咩，掟我？」Lucy 突然清醒過來，並大聲喊叫。

Benson 驚呆了一下，定睛注視著 Lucy。

「嘩，你擲個銅葫蘆過來，想擲死人咩？」Lucy 一邊拿著銅葫蘆，一邊搓成身上多處的傷口。

「BB，你知唔知頭先發生咩事？你想殺我呀！你拿著刀片想殺我呀，又舉起我擲落地。」Benson 把剛才發生的恐怖經歷覆述一遍。

大家也覺得不可思議，Lucy 也認同自己可能「瀨咗嘢」。

「不如先睡吧，第二朝再問下人點解決。」Benson 無計可施，於是執拾好地上的物件後，抱著 BB 繼續上床睡覺。

大家似乎沒意識到是銅葫蘆救了一命，銅葫蘆歸位後，它就來襲了——！

繼續被鬼迷

Benson 入睡了不久，「女友」又突然起床，拿著電話不斷哭求：「你唔好去個女人度，你返嚟啦，只要你識得返屋企，我當乜事都無發生過，可以重頭再開始過！」

「女友」喊得越來越厲害，說：「你唔好收我線呀——你收咗線，我會死俾你睇！你要即刻快屋企，我要見你——！1 小時內唔見你，我就死俾你睇！」

「女友」的哀嚎吵醒了 Benson。

Benson 越聽越恐慌，究竟電話裡另一邊是誰？究竟 BB 有精神病還是撞鬼？

還未想出答案，「女友」又回過頭來凝望著 Benson。

「女友」再度濃妝艷抹，身體又散發著老成的香味。她看見 Benson，馬上歇斯底里地大叫：「你好狠心！最終都無返來睇我，我死了你也不回來看我一眼。我要殺死你！」

Benson 情急智生，突然想起當日擲出銅葫蘆後，「女友」馬上清醒過來。

他馬上搜索銅葫蘆的去向，就在「女友」揮刀之際，銅葫蘆把惡靈趕走。今次投擲的力量太重，「女友」倒地不起。

繼續被鬼迷

經診治後，Lucy 頭顱及身上均有多處傷痕，被針刺傷的

患處又嚴重毀爛，仍在醫院昏迷不醒；警方以嚴重傷人罪拘查 Benson。

Benson 百辭莫辯，他在拘留所期間，「Lucy」仍糾纏不休，不斷在耳邊哀怨著：「你點解咁狠心，我係你老婆呀，你顧住玩女人，我死了你都唔望一眼。我唔會俾佢好過，哈哈哈——！我要你永遠陪住我——！永遠陪住我——！」

Benson 嚇得心肺撕裂，眼前浮現著一個紙紮公仔……

「帶我回家……」

香港人很喜歡去旅行，每逢節日假期，都是港人出國玩樂的好時機，兩姐妹 Kelly 和 Mable 亦不例外，一有時間就會孖住走圍去。今次她們選擇泰國芭堤雅，享受陽光與海灘，以及多姿多采的水上活動。可惜這趟旅程樂極生悲，兩人去一人返……

外遊出事

話說，某年一團香港人出發到泰國芭堤雅。這團人如常出發，去了一個海邊城市，第一晚就入住一間海邊酒店。經過一天活動之後，各人回房休息，只是時間尚早，於是 Kelly 和 Mable 就一齊到沙灘玩樂，Kelly 只在沙灘上四圍走，Mable 則落海暢泳，一段時間 Kelly 見妹妹久久未上水，頓覺不妙，於是向領隊求助。領隊知悉後馬上報警，警方派人四出尋找，找了接近一日之後，在該處沙灘附近找到一具浮屍，正正就是 Mable。

骨灰龕上位

據說，當時正值泰國的新年，提供殯儀殮葬服務的公司均沒有營業，衛生部門為免屍體變壞，便快速安排火化。幾天前兩姐妹還孖住到處吃喝玩樂，想不到幾天的光景妹妹已化成白骨，兩人從此陰陽永隔。想到此處，Kelly 不勝唏噓。

身體嚴重不適

火化完畢後，Kelly 沉痛地帶著妹妹的骨灰回港，並安排骨灰「上位」的事宜。

某個平日下午，Kelly 與家人一同到這座沙田市中心的寺廟，正式把 Mable 的骨灰安放在廟內供奉。

儀式當日，Kelly 非常暈眩，並嘔吐大作。雖然非常不適，但這是妹妹「上位」的重要日子，Kelly 努力抖擻精神，希望盡力為妹妹完成身後事。儀式開始後，Kelly 開始天旋地轉，步履不穩，就連念經的僧人都感到她唔妥，於是有人拿了一張椅子讓她坐下。至儀式完結，其中一位較年長的僧人，走近 Kelly 身邊說她氣色不佳，叮囑她早點回家休息。好不容易才等到儀式完結，Kelly 便與家人乘車回家。

回家後，Kelly 馬上倒在床上喘息。

雖然身軀已躺在床上，但感覺自己好像置身在暴雨下航行的大船一樣，瘋狂地顛簸著，過了良久才勉強入睡。

晚晚發著同一樣的夢

「家姐，帶我返屋企……」

「家姐，帶我返屋企……」

「家姐，帶我返屋企……」

Kelly 在夢中猛然驚醒，額角汗如雨下。

她回想夢境中的妹妹是全身濕透的，她面色慘白，衣衫破爛，淚痕連連。說話時嘴巴抖震，口吐白煙，好像極度寒冷。

「妹頭，我不是已接了你回來嗎？我們已幫你的骨灰上位，以後我們會經常來探你的……」Kelly 亮起牀頭燈，一邊擦拭妹妹的生活照，一邊含淚對著相片淒苦地說。

平伏心情後，Kelly 繼續入睡。

「家姐，帶我返屋企……」

「家姐，帶我返屋企……」

「家姐，帶我返屋企……」

只要姐姐一睡熟，相同的夢境又再度重現。全家人唯獨她一個夢見妹妹，家人都猜想是 Kelly 太思念妹妹，故日有所思，夜有所

夢。Kelly 也深有同感，於是一有時間就會帶祭品去拜祭妹妹，衫褲鞋襪娛樂用品等紙紮可謂一應俱全，但「我要返屋企……」的夢境還是縈繞不去。難道妹妹有其他未了的心願？

擺烏龍！？

事情糾纏了一個多月，終於有眉目！

這天，家人收到泰國一家旅行社的來電，話受泰國一個旅客所托，所以蒙昧越洋致電過來。

原來，Mable 海上遇難當日，泰國附近馬路也有一名因交通意外身亡的死者，兩名死者均被火化。但殯儀公司「擺烏龍」，把兩名骨灰調轉了。即是說，Kelly 千里迢迢帶回港「上位」的骨灰是另有其人。

最令人驚嚇的真相是，交通意外死者的其中一個家屬晚晚發著相同的夢，夢中的親人也是說：「帶我返屋企……帶我返屋企……」

泰國家屬覺得唔妥，明明已妥善安葬，為何先人有家歸不得？

後來到殯儀公司查探，才赫然發現兩人的檔案編號調換了。安排遺體領取的職員只核對編號，沒有仔細查看遺體的姓名及身份證資料，結果弄出大頭佛。

聽到此處，Kelly 聲淚俱下，原來妹妹已作出多番提示，但她都沒有放在心上；若不是泰國那邊的死者家屬鍥而不捨地追查，妹妹就會繼續孤苦伶仃，流落異鄉，死後都無法安寧。

你怎可活得比我好？

爆婆媳糾紛

「點解要搬走呀？我想同阿媽住喎！」Tony 皺著眉頭道。

「但我唔想呀，你阿媽唔鍾意我，常常俾說話我聽，話我家境唔好，學歷低，襯唔起你。她對眼生在額頭，睇唔起我。又話如果唔係我大肚，她絕對不會讓我入門！」Mandy 說完嚎啕大哭。

「阿媽幾乎十項全能，入得廚房，出得廳堂，搬走了，無她照顧，我們邊搞得掂！？」Tony 沒有回應 Mandy 的埋怨，只顧自己的需要。

「我們兩個分工合作，邊會搞唔掂？」Mandy 反駁道。

「阿媽煮飯又好食，又識湊 BB，一抱起 BB，BB 就唔喊。她又是國際學校老師，懂得用遊戲和音樂方式教育 BB。有佢喺度，屋企真的無嘢煩……」Tony 把媽媽的好處如數家珍。

「你阿媽咁叻，你娶她吧——！」Mandy 用力推開丈夫，奪門而出。

兩夫婦無奈遷走

冷戰了一個月後，Tony 想冰返老婆，被迫就範，兩人於是開始外出睇樓。

Tony 母親曾背後不斷發功，為兒子找了幾個私人屋苑的單位。但 Mandy 一一拒絕，她堅持自己找，否則，寧願帶埋 BB 返外家。

這天，經紀帶了兩人到一個唐樓單位，單位較老舊，門柄有點鬆脫。Tony 無聊地周圍觸摸，發現有塊木板搖搖欲跌，於是好奇心驅使下，伸手扯開木板，想看看後面有甚麼東西，誰知木板一拉即倒，後面的牆上原來貼滿十多張黃色符紙，上面用紅筆劃了一堆

看不明的符號。

兩夫婦嚇了一跳，經紀馬上趨前打圓場，話單位以前是佛堂，符紙應該是道具。佛堂乃清靜地，又受神佛加持，所以單位沒有問題。

兩人聽罷也有點半信半疑，但 Mandy 認為單位租平，兩人的月薪可以勉強負擔得起。加上 Mandy 已受夠奶奶的白眼，她寧願被鬼壓，也不願與奶奶共住。

未經深思熟慮和仔細查證下，兩人扑槌租下單位。

怪事頻生，老公懶理

搬入新居後，Mandy 不用再睇奶奶面色，心情的確很歡愉。但開心的日子過了兩星期，情況出了異象，令她情緒越來越差。原因是 Mandy 每晚入睡後，都發著相同的夢：周圍樹林密佈，烏天黑地，遠處豎立著一高一矮的人形影子，狀甚孤清。

相同的夢境維持了兩星期，四周都是黑壓壓的叢林，黑漆漆的環境；唯一不同的是，一高一矮的人形影子越來越接近自己⋯⋯

Mandy 向老公已不止一次抱怨道：「老公，我每晚都夢見一高一矮的影子，周圍烏天黑地，感覺很恐怖⋯⋯平日屋企好像有對眼監視著我咁，好唔舒服呀！」

老公繼續打機，沒有理會。

去到昨天，一高一矮的人形影子與自己只有五呎距離，Mandy 終於看清它們的容貌：他們應該是母子，俱面色發紫，口角有血。

Mandy 嚇得從夢境驚醒起來，她連忙搖醒老公，說：「老公，我又夢見一高一矮的人形影子，它們越來越近，今次我近距離見到佢哋個樣啦，是兩母子呀，嘔晒血咁，好恐怖呀！」

老公沒有理會，繼續睡覺。

Mandy 極度生氣，她用力搣了 Tony 一下，令 Tony 痛得大叫起來。

「我同你講嘢呀，你有無聽呀？」Mandy 繼續罵道。

經老婆一罵，Tony 睡意全無，他火冒三丈，霍地站起來，罵道：「嘈咩嘈？！間屋當日貼晒符，已經話怪怪哋。是你話要堅持入住的，住了又話見鬼。我當日娶了你，我就真係撞鬼，鬼掯眼呀！」

Mandy 傷心得一時間不能言語，她結結巴巴地說：「你……後悔？你搞大我個肚，現在才來後悔？」

第二天，Tony 收到警方的來電，驚悉老婆攬住 BB 跳樓輕生了！

相片揭驚嚇真相

一夜間喪失妻兒，Tony 泣不成聲。

母親也動員了各種人脈，在短時間為過世的媳婦和孫兒辦了一場體面的儀式。

儀式上，法師見 Tony 烏雲蓋頂，不得不喚他過來詳談。言談間，Tony 聊起 Mandy 死前的奇怪夢境。

法師頓覺不妥，於是叫 Tony 回家影一張家居照，然後盡快 WhatsApp 給他看。

翌日，法師看到相片，不禁一怔。沉默良久，然後開腔說：「Tony，你……盡快搬走啦，屋內有一對過世母子，女靈體不想你們活得好，所以害死了你老婆同個 BB。其實，女靈體已作出多番警示，不過你們沒為意……」

Tony 大吃一驚，問：「我無害過佢哋，佢哋做乜害我？！」

靈體誓要「你死我亡」

法師緩緩地說：「Tony，這同做人一樣，我們常常去比較，

埋怨點解人哋有錢D，自己無錢；點解人哋好運D，自己卻行衰運；點解人哋中彩票，自己卻買極唔中；點解人哋老公老婆咁恩愛，自己另一伴卻平淡如水。點解人哋長命百歲，自己卻死於非命。我們做人常抱怨自己的不幸，忌恨人家的幸福，心裡面難免會詛咒人家，恨不得人哋家破人亡。做人都有這般歹毒之心，做鬼也一樣，靈體用自己的方法令人遭遇不幸。靈體害死了人，自己也會有孽債，它可能無法再世為人，但它們放不開執念，怨恨『**你怎可活得比我好**』，故寧願你死我亡。唉，可悲！可悲！」

Tony 聽到此處，馬上淚流滿面，回想當日不斷埋怨老婆不夠媽媽體貼，不夠媽媽溫柔，不夠媽媽本事。其實老婆是雙職母親，又要返工，又湊仔做家務，一星期七日無休止，但自己卻無幫過手。

如果 Tony 當日體諒老婆的委屈，可以從中做和事佬，化解婆媳之間的糾紛，老婆就不會寧死都要搬走，之後的的事也不會發生。此刻，Tony 悔不當初。

巴士撞鬼日常

《又要驚又要聽》這個網台節目非常受歡迎，主持人每集都會邀請不同人士上來分享撞鬼經歷，今集請來幾位巴士司機，一起圍爐講鬼故。

主持人阿 Bob 做了一個簡單的開場白後，就請司機阿 John 先講。

阿 John 說了一個「異度空間」的親身經歷：

平行時空：馬車駛入隧道

「事緣有天，我駕駛巴士穿越香港仔隧道。香港仔隧道全程長2公里，駛畢全程不用2分鐘。我入隧道之前還致電老友們，約好一小時後到灣仔打冷宵夜。車輛一駛進隧道，光線突然變得很昏暗，身邊擦過的車輛都很奇怪，紅橙黃綠青藍紫甚麼顏色都有，平時很少見的啡色車身都有。最嚇人的是......我竟然見到馬車，馬車駛入隧道？！景像很匪夷所思，我一路駕駛著，一邊觀看四周奇景，不驚不覺都應該過了廿分鐘，但隧道還未見盡道，我唯有一直駛......一直駛。突然，我瞥見隔離有架私家車，司機右邊面是嚴重損毀的，我當下在想，他受了傷嗎？正當我想示意叫他停車，看看有甚麼幫忙時，他正面望著我，他......沒有五官的，只有一塊敞著血的面龐。我嚇得大叫起來，一陣剎車的聲音，車子瞬間就停了下來。看著這樣的景象，不由得嚇得瑟瑟發抖。我當時心臟劇烈起伏，重重的喘息著，我開始意識自己可能撞鬼了，若不離開這隧道，隨時無命。我重新開車，但過很久，好像鬼打牆一樣，遲遲無法離開這條隧道。我下意識不斷唸著『南無阿彌陀佛......南無阿彌陀佛』，一邊唸，一邊沉住氣繼續駕車，不到一會，終於走出困局，

離開隧道了。此時，我手機不斷響，原來是朋友 call 我，他們問我去咗邊，為甚麼唔應機。我驚魂未定，未知點回答，但望了一下手錶，當時已是凌晨 3 點！！我入隧道時是晚上 8 點，我在隧道裡駛了 7 小時？究竟我當時是在香港仔隧道，還是去了另一個異度空間？已不得而知了。」

心急的「落車客」

阿 John 分享完自己的經歷後，坐在身邊的阿 Fai 也急不及待要講自己的撞鬼故事。

「有一晚，我因急著返車廠，眼見車上已經沒有乘客，而且剩下的車站幾乎不會有人上車，於是我便飛站，想直奔車廠。豈料才飛了一個站，怪事就發生。耳邊不斷傳來下車鐘聲，但我明明記得上車的乘客已經相繼下了車，車上無可能還有人按鐘。當時，刺耳的叮叮聲愈響愈急，似是有人不停地按鐘。我嚇得未到下一站就急急把車剎停在路上，然後把上車及下車門都打開，希望鐘聲可以停下來。果然，打開車門後鐘聲亦隨之停下，但開門後卻不見有乘客下車。我把車門關上，然後再整個上下兩層車箱都查看一遍，確實沒有人。無人落車，也無人坐在車廂裡，那剛才急速的鐘聲是誰按的？為免事情再發生，我以後都唔敢飛站，而怪事亦沒有再發生。」

唔肯落車的不速之客

整個節目鬼故說不停，阿 Fai 講完，Frank 接住分享。

「我返夜更的，當晚收工時已是凌晨嘅一點左右，我如常駕駛巴士入車廠加油。我們收工返廠的時候都會將所有的車廂燈熄晒，所以當時在車內的環境相當暗，當然我都唔會例外，熄晒全車的燈。駛至交通燈前，我把車停下來等轉燈，突然好清楚聽到上層有

聲音，很明顯是腳步聲，是穿著高踭鞋在樓上下來的咯咯聲。我心
諗，無理由仲有人㗎，因為我習慣每次收工前，一定會檢查晒上下
層車廂，確定所有乘客走晒，我先會熄燈。可能聽錯吧⋯⋯我沒有
理會，繼續開車返車廠，點知我背脊突然有股冷風吹過，冷得我
起晒雞皮，然後我就在倒後鏡見到有個人坐在下層落車門後面的欖
上，當時她是垂下頭的。雖然當時無開燈，但透過路上的街燈，仍
看到她的身影。她一動不動，只管低頭坐著。我不敢再打量下去，
如果她猛然抬頭望我，我怎算？因此，我當睇唔到，繼續開車返車
廠。返到車廠，我就對著空氣大叫：喂，我要收工啦，你要走啦。
過咗幾秒，我大著膽子擰轉頭，她已不見了⋯⋯我全程無開過車門，
如果他是人，怎會話消失就消失，除非⋯⋯」

好心鬼讓你逃過一劫

剛才阿 John、阿 Fai 和 Frank 的經歷，可以理解為被淘氣的
靈體作弄；以下這位司機阿俊，他可能被好心鬼救了一命。

「寫字樓的打工仔有時都會飯氣攻心，工作時會有片刻魂遊太
虛；但我們做巴士司機，每分每秒都要打醒十二分精神，不能有半
秒的烏眉瞌睡，否則，隨時斷送自己和車上所有人客的性命。我
明白事態嚴重，所以駕車時格外留神，但駛進長途的公路時，例
如屯門公路，有時真的睡意難忍，試過有次，工作到尾班車時段，
我已感到很疲倦，突然我膊頭被拍了一下，耳邊有把聲音說：『小
心啊！』，我當場嚇了一嚇，成個人醒晒。就在這刻不到兩個車位，
我看到一架壞車停在路邊，如果我當時唔清醒，真的會撞埋去，
現在想來還是一額汗。人哋話屯門公路意外多，所以靈體特別多；
可能那次我遇上好心鬼了。」

甲由屋驚魂

樂雲樓 3204 室的昌伯臭名遠播，無人不識！他一出現，人見人憎，事關他經常把樓下垃圾房的殘羹剩飯和廢棄傢俱帶回家，惹埋一屋甲由老鼠，搞到成層樓烏煙瘴氣，臭氣熏天，鄰居們都苦不堪言，可惜昌伯早年已買下單位，寓所屬於私人單位，連房屋署都無權干涉。互助委員會主席陳太對昌伯敢怒不敢言，她曾氣憤地說：「已無佢符，無法望佢早點搬走，只寄望他早點歸西……！」豈料陳太一語成讖……

差點入錯門口

這天，陳太買完餸回家，正乘電梯上樓。她住 35 樓，一入 lift 已按 35 號字按鈕。當時電梯內只有陳太一個，成排號碼按鈕只有 35 號亮起；但奇怪的事發生了，32 號鍵在沒有人按的情況下自動亮燈，然後電梯自動停在 32 樓……這情況最近經常發生，頭幾次因為有其他人同一部電梯，陳太只以為有人按錯了，不以為意。直到有一次，她開始覺得不是偶然。

有一次，陳太一邊行一邊看手機，當時只有她一個人進入電梯，她按了 35 號鍵後，認定電梯一定會停在 35 樓，於是專心繼續低頭煲劇。到電梯門開了，她仍然低着頭一邊睇片，一邊走向她認為的「屋企門口」。直到她走到門口伸手想開門時，發現鎖匙插不入匙孔，不斷扭動都插極唔入。她抬頭一看，赫然發現門牌竟然寫住「3204」！

lift 門自動打開

噢，3204？這不是昌伯的甲由屋嗎？

陳太眼前的單位，並不是她家「3504」，而是昌伯的 3204 室，

她當堂嚇了一大跳。

她望向鐵閘，鏽跡斑斑，有數十隻甲由在遊走，她大叫了一聲，然後瞬即彈開。

她看着門牌好幾秒，自然自言的說：「竟然來到個瘟神屋企，真發瘟！」

陳太自責掛住煲劇，去錯昌伯的「甲由屋」。

她一邊快步走向防火門，一邊從樓梯跑上 35 樓。終於跑到自己家門，她再三看清楚自己家的門牌才敢開門入去。回家後，她回想剛才的情景，不禁嘀咕著：「明明只有我一個乘搭的電梯，又為何會停在 32 樓呢？」

又有一次，她一個人入電梯，她站在電梯按鈕前，百無聊賴地看着電梯按鈕，35 樓的紅燈十分搶眼。正當她覺得沒甚麼事會發生時，32 樓的電梯按鈕就在她眼前突然亮了。她十分驚訝，心裡非常清楚這架電梯裡只有她一個人！她屏息靜氣的盯着面前的電梯按鈕，也不敢胡亂四處張望，到 32 樓時，電梯門開了，自然沒有人出，也沒有人進，她不敢四處張望，只管低頭等電梯門自動關閉，然後立即衝回家。

神推鬼擇發現屍體

太邪門了吧！好像神推鬼擇一樣，要她去 3204 室。

陳太開始感到事件不尋常，她開始向 32 樓一眾鄰居打聽昌伯。

「隔離屋阿昌伯？好耐無見過他了，平時每天四點，他都會拿著白酒在樓下公園坐，一邊飲一邊胡言亂語。這星期都無見過他了。」鄰居三姑說。

「昌伯每晚飲到爛醉，然後執垃圾食物回家，這星期都唔見他。好似唔止，兩星期都有了......」鄰居徐伯厭惡地說。

「他會否死在屋裡？」陳太突然有這恐怖的想法。

「鬼知呀？！他屋企一年 365 天都咁臭，都唔知是甲由老鼠屍體的臭味，還是他死屍的臭味。」鄰居福嬸好像聞到臭味一樣，一邊說一邊用手掩著鼻孔。

「咁耐唔見人，可能真的出事了。不如報警啦！可能他真的……」陳太把這段時間的怪異經歷娓娓道來，街坊們聽後都雞皮疙瘩起來，更贊成報警處理。

警方接報後破門入屋，果然，昌伯真的倒斃在屋內，並估計死了兩星期……

死了兩星期？難道是昌伯死後顯靈，引導陳太逐步發現屍體……？

留產所的「遺物」

「對唔住啊，老婆，要你和囝囝屈居在這百多呎的劏房⋯⋯」丈夫 Paul 環顧簡陋的斗室，無限歉意湧上心頭。他去年一家三口還住在何文田豪宅，豈料「貪」字得個「貧」，學人炒孖展，結果輸身家，還欠下巨債，要賣樓賣車還債。當初曾許諾要太太過少奶奶的生活，估不到承諾只實踐了三年就幻滅，現在一家人要搬到遍遠地區的劏房，有 lift 的私人住宅住唔起，只能租住要爬十層樓梯的唐樓。

投資失利，豪宅變劏房！

「老公，我們馬死落地行啦，你經過今次教訓，不要再投機取巧了，否則，十億身家都唔夠輸啊！」太太 Judy 心裡其實很氣結，由住豪宅變了住劏房，有何顏面見親戚朋友？父母也勸她要離婚，不要再跟這個無用丈夫一齊捱；但 Judy 不想兒子咁細個就要在單親家庭長大，唯有原諒丈夫，與他共同時艱，希望丈夫以後修心養性，好好地踏實工作，不要再沾手蝕多賺少的投資市場了。

以前豪宅的廁所都大過劏房整個單位，兩人看著單位，越看越不喜歡，但身無分文，實在別無他法；但看著兒子 Tony 仔在屋內跳跳紮，活潑非常，也感安慰。

「最緊要孩子唔覺得委屈，他喜歡就行了！」兩人想到此處，不約而同地笑了。

孩子的開心樂園

這天是星期日，兩夫婦都不用上班，三口子難得相聚。

「Tony 仔，我們出去玩啦！」Judy 拿起滑板車，準備和兒子到附近的遊樂場玩。

「我唔去啦，我要在屋企玩。」Tony 仔搖搖頭道。

「屋企咁細，有乜好玩？Daddy Mummy 和您一齊去遊樂場玩，樓下有很多小朋友，他們會同您玩，很開心的。」Paul 拉著兒子的小手道。

「這裡都有很多小朋友同我玩。」Tony 仔在地上放置了四個高達模型，與各個高達在玩角色扮演，玩得很投入。

「阿仔唔肯落去喎，點算啊！」Judy 問丈夫。

「阿仔唔落去，鍾意同高達玩，由得他們啦，咁我們留家煲劇啦！」Judy 很贊成丈夫這個提議，她最近追看幾套城中熱門的韓劇，熟知劇情後，翌日和同事吃 lunch 才有話題。今時唔同往日，以前是闊太，大把人前來巴結；如今變身打工仔，就要掉轉頭和同事搞好關係，這是職場求生之道啊！

「好多小朋友陪我玩……」

兩夫妻追看劇情期間，Judy 突然覺得有點不妥。

「老公，點解阿仔對住空氣講嘢？」Judy 拍了丈夫膊頭一下，問道。

「阿仔同啲高達玩緊角色扮演嘛，他一個人孤獨，要分身幾個角色，我係獨仔，細個無人同我玩，我都係咁玩。」丈夫回答時視線沒有離開過電視機。

「老公，唔係喎，他不是對住高達講嘢，而是個頭擰來擰去，同不同『人』講嘢。有時又走入房，同房裡面的空氣講嘢，手上無拿高達的……」Judy 越說越心寒。

Paul 聽到此處，也覺得有點不妥。於是，他走過去跟兒子聊天，乘機問個究竟。

「Tony 仔，Daddy 同你玩吖？」Paul 走過去逗兒子。

「不要，好多人同我玩，唔要 Daddy。」Tony 仔別個臉去，

用背脊擋住爸爸。

Paul 繼續挨過去，道：「有 Daddy 同你玩都唔要？」

Tony 仔抬起頭，凝望著房門一會，然後點了一下頭，道：「Daddy，佢哋叫你行開啊，唔受你玩啊。」

Paul 察覺異樣，於是靜靜地坐在一旁，從遠處留意著兒子的動靜。

Paul 看得出神，他越看越毛骨悚然：

兒子不是和高達玩「角色扮演」，
兒子是和左右隔離、前前後後不同的「人」在聊天。
玩「角色扮演」時，當事人會扮聲，然後演說不同的對話來推進劇情。

但兒子是跟四周的「人」在閒話家常，又會遞東西給「對方」，「對方」又會交還東西給他；他們又會交頭接耳，神情很自然流暢，一點也不像在扮聲演戲。

Paul 嘗試探問：「阿仔，你跟幾多個小朋友玩，可否……介紹給 Daddy 識？」

兒子把耳朵揍過去一邊，好像聽著吩咐一樣，他點了一下頭，然後站起來，他一個一個地用手指指著，一共指出了十個「人」。

Paul 竭力深呼吸，讓自己平靜下來，然後進一步問：「你只是手指指，為何不介紹它們的名字？」

沒料到兒子如此直率地回答：**「他們未出世就死了，所以無姓名！」**

揭開單位的恐怖歷史

「他們未出世就死了，所以無姓名！」

兒子回答的聲浪，遠在床上煲劇的媽媽也聽到了。兩人嚇得目瞪口呆，甚麼未出世就死咗？究竟一直陪著兒子玩的「人」是誰？！

Paul 已等不及了，他馬上急 call 一位相熟的法科師傅上來單位。

法科師傅一抵步，已面色一變，嘆道：「嘩，你屋企好熱鬧啊！有十個咁多啊！」

兩夫婦嚇得面如死灰，Paul 事前刻意不告知「兒子跟十個人玩」的情況，但法科師傅竟準確講出數目，足證屋企真的有嘢。

法科師傅在 Tony 仔身上灑了符水，並過氣給他，讓他陽氣增加，然後把孩子帶到父母身邊；接著，他馬上開壇，請師公上身，與十隻小鬼通靈，了解它們纏著 Tony 仔的原因。

原來，單位有一段恐怖歷史：

事緣，單位前身是留產所，當年一般人不懂避孕，但生活艱難，無法照顧腹中孩兒，於是便到流產所墮胎；加上當年民智未開，以為有仔萬事足，一知道自己產下女嬰，便狠心殺死。留產所的醫生不敢公然棄屍，於是把未成形的胎兒，或已出生被殺的嬰孩用箱子入好，然後埋在地板的石屎下面。

法科師傅所言非虛，Paul 找人挖開地板，果然起出留產所一具具的「恐怖遺物」。事件驚動整棟大廈的業主，大家都為求心安，於是夾錢做了一場大型法事，超度這死於非命的嬰靈。兒子喝過符水後，睡了整整一日，醒來後對自己跟十個小朋友玩樂的事忘記得一乾二淨；而 Paul 和 Judy 兩夫婦沒有搬走，繼續住在單位內，他們不再驚慌，反而覺得自己超度了十個可憐的亡靈，感到很心安理得。

瀕死後的特異功能（上集）

一個天崩地烈的巨響擊碎了寧靜的下午，大家都停下手上的工作，四顧張望，搜索可怕巨響的來源。

原來，兩架車迎頭相撞，其中一架私家車的司機更拋出車外昏迷，倒在血泊中。

這位傷重昏迷的司機叫 Wilson，Wilson 被送上救護車時，心跳和呼吸都停頓，曾一度被認定已經 Certified。可是，當救護車到醫院時，Wilson 又奇蹟蘇醒回來。當時的救護員見 Wilson 死而復生，也都不禁鬆了一口氣。但畢竟傷勢嚴重，並有多處骨折，Wilson 最終要留醫四個星期，進行一系列的復康治療才逐漸康復。

一場意外令某些能力解鎖

Judy 是 Wilson 的女朋友，他倆經歷了生關死劫，更加認定彼此深愛對方。在醫院裡，兩人無所不談，其中「你瀕臨死亡時看到甚麼」這條問題，Judy 問了不下三次，但 Wilson 每次的回覆總令她失望，「當時有甚麼感覺？甚麼也沒看到啊？好像平時睡著了一樣。」

Judy 聽到如此沒趣的答案，問了幾次也就沒追問下去。

確實，Wilson 在瀕死時沒謠傳所說會看到過世的親人、或看到自己靈魂出竅、或走進地獄看到鬼神等等，如此戲劇性的片段沒有發生過，但 Wilson 自此之後卻爆發了一股神奇力量，連他自己也不知道，隨著幾次特殊遭遇，他不得不承認自己某些能力已經被「解鎖」！

老闆意外滯留外地

Anthony 去年聖誕節到加拿大探望女兒，原定今年 1 月返港，

惟因港府對某些國家實施「熔斷機制」，結果一直滯留當地。所謂「熔斷機制」，是指港府鑑於變異病毒令全球疫情持續嚴峻，於是為澳洲、加拿大、法國、印度、英國和美國等航班實施「熔斷機制」，禁止所有從當地來港的民航客機著陸香港，也限制於21天曾逗留這些地區超過2小時的人登上任何民航客機來港。老闆Anthony就這個原因滯留在加拿大，無法返港打理業務，只能靠視像會議與公司總監Bosco和部門經理Wilson開會，了解公司業務進展，並遙控指揮大局。

三人會議的異象

今次是Wilson出院後首次與老闆Anthony和公司總監Bosco一起Zoom meeting。

啟動視像鏡頭後，三人彼此慰問對方，寒暄一番後開始入正題，討論疫情下公司生意大跌的救援方法。

大家互相交流意見，談了大約半小時，Wilson開始覺得不對勁！

話說，大家開會的時間是香港早上，但正正是加拿大的夜晚，從Anthony身後那漆黑的夜景可見，天色已經黑齊，只有寥寥的街燈慘淡地照耀著街道。

突然，窗外站著一個人影。

Wilson當堂嚇了一跳，但大家正為某個議題討論得如火如荼，實在不適宜轉移話題。他心想：若果窗外的女人要入屋，自然會按門鐘，請老闆開門，因此實在不用為他掛心。

但思索了幾秒，仍覺得不妥，老闆Anthony身處的位置不是單層式的House，早幾天聽公司總監Bosco說，老闆Anthony現住在加拿大某間酒店的21樓，換言之，窗外不可能有人，這個「空中飛人」會是誰？

Wilson 背脊涼了半截，額頭冒著冷汗。幸好當時是香港的早上，外面烈日當空，有陽光照耀著，Wilson 勉強支持得住，如果當時是寂靜的晚上，此情此景他一定奪命狂呼！

他強作鎮定，也胡裡胡塗地說了一些所謂的工作建議，心裡只想 Zoom meeting 快點結束，他不想再望到老闆背後的「空中飛人」了。

但「空中飛人」好像不放過 Wilson，轉眼間，它——已入了屋，並且站在老闆 Anthony 身旁，並且彎下腰，把面龐貼著電腦畫面。

「空中飛人」巨型的臉龐佔據了整個電腦畫面，Wilson 終於爆了，他霍地站起來，謊稱自己肚痛，要急忙去廁所，公司總監 Bosco 和老闆繼續開會。

Wilson「借尿遁」一招很就效，他如廁回來後，Zoom meeting 已經完結。

視頻裡的「親人」

Wilson 返回座位，繼續扮鎮定，當無事發生般如常工作。

「Wilson，你頭先見到老闆背後有個女人嗎？」

Wilson 冷不防 Bosco 有此一問，呆了半晌才懂得回答。

「呀⋯⋯係呀，umm⋯⋯乜你都見到？」

Bosco 轉身去取了一個相架過來，問：「你見到佢？」

Wilson 馬上毛管戙，他見到的「空中飛人」正是相中人。

「其實，呢位是老闆的太太，早幾年已過身了⋯⋯你當時還未入職，所以未見過她。他們很恩愛的，也很好客，每年農曆新年都會邀請我們一班部門經理到他們家作客，又豪派利是。可惜，他太太在一場交通意外中喪生。雖然陰陽相隔，但我們都知道他太太一直沒有離開，仍默默地守護著自己的丈夫。」Bosco 把老闆的悲痛經歷娓娓道來。

「咁......老闆知唔知......老婆一直留在自己身邊？」Wilson 問得小心翼翼。

「咁就唔知啦......我們做細的，也不敢過問，你也當唔知算了，別多口啊......」Bosco 說完這番忠告後，也返回自己的工作崗位了。

Wilson 瀕死後從地獄折返人間，之後卻擁有特異功能，是禍是福？

瀕死後的特異功能（下集）

Wilson 雖然是堂堂男人，但卻是「生人唔生膽」，在視頻裡竟然看到老闆的過世老婆，真的嚇到黃膽水都嘔埋出來。Bosco 又當作平常事，即是說老闆的過世老婆不止出現過一次，所以 Bosco 才見怪不怪。難道以後要與鬼做同事？唔係啩──！Wilson 想到此處，已有強烈的辭職衝動。但有層樓要供，又不能瀟灑地裸辭，惟有繼續返工，騎牛搵馬。加上有以下經歷，令他覺得辭職都無用......

視頻聊天解相思苦

Wilson 有個拍了 4 年拖的女朋友 Judy，Judy 現於台灣攻讀學士課程。她沒有住大學宿舍，而是與長居台灣的媽媽同住。

原本 Judy 打算每 2 個月飛返香港會情郎，豈料香港第 5 波疫情一發不可收拾，返港無望，大家唯有 facetime 聊聊天、見見面，以解相思之苦。

「BB，BB，你讀書辛苦嗎？」Wilson 很愛錫女友，視她如寶貝，常「BB」前「BB」後。

「OK 啦，大部分都是 Group Project，同學互相幫補，很易做完；加上有很多師兄師姐的功課參考，唔識也有得抄，Haha......」Judy 輕鬆地回答。

「掛住你啊，BB。唔知幾時見到您，攬下你......」Wilson 在女友面前猶如小男人，不斷撒嬌。

「香港染疫人數日日破萬，等佢回落至清零，都唔知等幾時了......」Judy 嘆道。

家人的親切照料

「你跟媽媽相處得好嗎？你小學時，父母已離婚，咁長時間無見過阿媽，一時間要住埋一齊，可能不太習慣。」Wilson 憶起女友的往事，不禁問道。

「都幾習慣啊！太耐無見阿媽，大家的感覺似朋友多過母女。我們以朋友的感覺相處，都幾舒服。宜家有個朋友好似親人咁照顧自己，又會幫我洗衫煮飯，幾好啊，haha……」Judy 說起母親，滿足地大笑起來，更拉母親一齊入鏡頭，向母親鄭重介紹這位男朋友。

「Hi, Auntie，您好！我是 Wilson。」Wilson 沒料到要在視頻見家長，馬上嚴肅起來。

「Wilson 您好，現在香港疫情嚴重，你要小心啊。我會在台灣照顧 Judy，您也不用擔心。」母親在未來女婿面前沒有架子，表現得很和藹可親。

三人聊了一會，母親話要去煲湯，就離座了，讓小情侶繼續談情。

母親身旁有個活潑的小孩子伴著。他很活潑精靈，懂得對著鏡頭笑，恰似天生的模特兒一樣；他圓圓的臉蛋依偎在 Auntie 的懷抱裡，撒嬌的樣子特別惹人喜愛。Wilson 心想：Judy 與體貼的母親和可愛小孩一起生活，相信日子過得十分愜意，他大可以放心了。

視頻裡的「親人」

如是者，過了一個月。

雖然 Wilson 工作忙碌，Judy 也要應付考試，但大家都很珍惜彼此 facetime 聊天的機會。

「BB，不要熬夜啊，你唔夠瞓，有熊貓眼，唔靚女啊！」Wilson 溫柔地說。

「熬一兩晚，沒事的，之後敷返 mask 就無事啦！阿媽也有煲湯給我飲。」Judy 在鏡頭前展示一碗「阿媽靚湯」。

「BB 小心拿啊，不要倒瀉，淋親細佬就唔好啦！」Wilson 叮囑著。

Judy 呆了半晌，不禁問：「淋親細佬，邊個細佬」？

「你屋企這個可愛的小孩子啊，他不是你後父的兒子嗎？若不是細佬，是否姨甥或表弟？或者朋友個仔？」Wilson 舉起食指，指著 Judy 隔離的孩童。

Judy 四顧張望後，顫抖地罵道：「你在嚇我嗎？屋企得我和阿媽兩個住，沒有第三個人，也沒有細路，我隔離也無人。」

Wilson 明明看見 Judy 隔離坐著一個肥嘟嘟的小男孩，他展示著天真無邪的笑容，還向鏡頭裡的 Wilson 揮手。

Wilson 當下全身發麻，不敢言語。Judy 平時很怕鬼，絕不會拿鬼開玩笑的，因此，Wilson 百分之一百肯定 Judy 對這「小朋友」全不知情。

既然 Judy 沒有搗蛋戲弄，那 Wilson 就肯定又 ── 撞 ── 鬼 ── 了！

Wilson 花盡唇舌安撫女友，再小心翼翼地向 Auntie 了解。原來，Auntie 七年前曾與當時的男友懷了骨肉，但不幸小產，後來兩人分手了，事隔多年，流產一事已沒放在心上，但豈料七年前夭折的小孩一直無離開，還逐年逐年長大，長大成今天的模樣......

人鬼難辨

Judy 知悉真相很晴天霹靂，也很難接受家裡有個「鬼小孩」。

後來，她想通了，這「鬼小孩」畢竟是屋企人，它不會害屋企人的，只是一齊住而已，仿如家裡拜祭的祖先一樣。

Judy 接受了與鬼同住，Wilson 也認命了，他也被迫接受自己長了一對陰陽眼，會看到人和鬼。在他的視野裡，鬼沒有猙獰的面孔，也沒有七孔流血的身軀，簡直與正常人無異，實在人鬼難辨。他選擇「躺平」了，總之平生不作虧心事，不會再深究眼前的物體是人還是鬼，即使知道自己撞鬼了，也只能無奈地接受⋯⋯

怒海惡靈（一）

　　阿昌，出生於漁民世家，他耳聞目睹或親身經歷過很多海上惡靈的故事，以下這個靈異故事是漁民阿昌告訴我的：

　　一般來說，船靠岸後，會把繩子拴在碼頭上的石柱上，固定船身位置。但如果船隻已駛至海上，想停下來休息，可以怎麼辦？海裡有水流，如果不把船固定在海中，船就會隨水流飄著走，這個時候船員就會用錨來固定船的位置，船錨呈分叉形狀，放錨落水底，錨就會掘實水底，船隻就不會被水流沖走。到啟程之時，船員才把錨收起來，再度揚帆出發。

　　阿昌的父母當年為了捕獲更多靚魚，曾不惜以身犯險，闖進菲律賓的南海領域非法捕魚。幸好一直都很順利，沒有被當地的海上警察發現。只是在海上目擊過一些恐怖事，令他至今都很不安。

無法起錨

　　話說，有次昌爸捕魚完畢，打算停在海中心休息，於是拋錨固定船身。翌日，正常昌爸要起錨，重新啟船之際，發現無論怎樣用力，船錨都無法扯上水面。昌爸和一班隊友均是有經驗的漁民，拋錨和起錨是基本功，易如反掌，從未試過失敗，今次無法起錨，真的「史無前例」。

　　「你最叻潛水，你潛入水底看看咩事？」船長阿海指揮著昌爸說。

　　昌爸應了一聲，就馬上動身，潛入水底看個究竟。

　　他向船錨的方向游去，究竟發現有一團黑色的龐然大物圍著船錨，昌爸嚇得一身冷汗，不會是鯊魚吧？！

　　但他定睛一看，這黑色的龐然大物沒有魚頭和魚尾，應該不是

鯊魚；但究竟是甚麼纏著船錨，仍是看不清楚，畢竟水底也頗多雜物，能見度不高。

他凝望了十幾秒，這團黑色的龐然大物，原來是由四、五個黑色人形組成。

「這幾個人在幹甚麼？按著船錨，阻止船員起錨，究竟有何目的？」昌爸要游過去問個究竟。

昌爸停下來，他猛然一想：起錨的力度很強大，這四、五個人根本無可能阻止得到。機器一啟動，足以把船錨和這幾個人一同拉上水面。正當昌爸沉思的時候，這幾個人回頭望他，大家四目交投，更令昌爸嚇得目瞪口呆！這幾個人完全沒有潛水裝備，無可能忍住呼吸那麼久，最可怕的是它們沒有眼珠的，面額上兩個圓圓的黑洞直把昌爸嚇得魂飛魄散。

他亂抓亂游，幾經辛苦浮上水面後，馬上把船底的可怕見聞告知其他隊友。

水底人骨

大家商討著如何對策，這時，船長阿海自告奮勇，表示要下水把船錨掙脫出來。在隊友中，阿海出海經驗豐富，也篤信鬼神，身上無時無刻都帶備著護身符。他向船頭的海神誠心上香後，就把幾個護身符一併掛在頸上，換上潛水衣及戴好潛水裝備後「咚」一聲就潛入水底。

阿海游進船錨的位置，很快見到這幾個「怪客」，也許是阿海有神靈護體，「怪客」見到阿海，也避之則吉，四散而去。阿海很順利就把船錨掙脫出來，原來船錨被一團海草勾著，所以無法上水。看似平常，但阿海覺得有異，如果船錨被海草盤纏著，但機器上錨的力量如此強大，海草怎能抵擋得住？正當他沉思之際，他發現海草不止把船錨綑綁著，裡面還有幾個白色的東西，阿海用傍身

的利器把海草拉斷剪破後，才猛然見到這幾個白色的東西，原來是骷——髏——骨——頭——！

　　阿海上水後，與其他隊友商談後，估計這幾個怪客可能是落水遊玩的當地人民或遊客，但潛水期間被頑固的海草纏著，最後失救至死，死後屍身一直無被發現，今次「因緣際會」遇上昌爸等人，透過起錨連同遇難者的屍身也重見天日。

可憐人無辜葬身怒海，肉身慘變白骨，死無全屍，無法輪迴。

怒海惡靈（二）

上文講到，昌爸在菲律賓漁船上拋錨時遇著人體白骨殘肢，今回故事的主角是船長阿海的兒子 Water 仔。Water 仔深得父親的遺傳，小小年紀已是游水高手，在校際比賽中奪獎無數。中學時期，他水上的雄姿和流線的身型迷倒了不少女生。他年少無知，天不怕地不怕，連漁民敬而遠之的水鬼，他都夠膽挑釁……

鬼蜢腳

「Susan，我們去游夜水囉！」Water 仔拖著心儀的女孩子準備落水。

但 Susan 掙脫了 Water 仔的手，搖頭拒絕，道：「唔好啦，人哋話呢個海灘很多污糟嘢，宜家又咁夜，唔好啦，聽朝先游啦！」

「唔駛怕，有我飛魚王子陪著你，遇神殺神，遇佛殺佛，甚麼都無有怕！」Water 仔不斷誇耀自己的本事，自吹自擂，反逗得 Susan 哈哈大笑。

兩個小情侶就這樣手拖手下水去。他們在水中追逐、嬉戲、潑水，玩得不亦樂乎。

這一天 Water 仔已等了很久，他早已計劃趁畢業宿營向 Susan 示愛。就在 Water 仔享受著鴛鴦戲水的時候，Susan 突然雙腳一軟，「噗通」一聲扒倒在水裡，她驚怕得雙手亂撥，高呼救命；Water 仔眼明手快，迅速把女友救起，並扶到沙堆上坐下來。

甫坐下來，Susan 朝 Water 仔的胸口打了搥，道：「真的有鬼啊，有水鬼啊，頭先我雙腳被啲嘢捉著，然後成個人就浸入水裡，若無被及時救起，我一定會浸死。你看我腳跟，紅卜卜的，是

鬼抓腳呀——！最衰係你，都話呢個海灘好猛鬼，你係要來，我唔睬你呀，我同 Peter 仔佢哋去 BBQ。」

Susan 非常激動，她霍地站起來，鼓氣泡腮，頭也不回地返回度假屋。

一模一樣的伯伯

估唔到與 Susan 的溫馨時刻只維持了半小時，現在把情人拱手讓給情敵 Peter 仔，Water 仔心裡很不是味兒。他向著大海罵道：「豈有此理，搞到我溝唔到女！水鬼，唔好匿埋鬼鬼崇崇，你咁巴閉，現身給我睇吧——！」

「後生仔，你真的不信有水鬼？」

冷不防側邊有把老人的聲音，Water 仔微微受驚，打從心底裡顫抖了一下。

「我唔信——！」Water 仔斜視了老怕一眼，擺著一副不屑的嘴臉，然後逕自走到海裡。

Water 仔在水裡游了幾個圈，非常盡興，他稍事休息，準備一陣再游。就在他不斷划水以平衡身體之際，他發現剛才跟他說話的老伯也在隔離游水。

「後生仔，你真的不信有水鬼？」

老伯又問著相同問題，Water 仔沒有理會他，繼續自顧暢泳。

突然，身後傳來一陣急速的呼救聲，原來有人遇溺。Water 仔見狀，趕上前去幫忙救援，並把泳客拉上岸邊。

Water 仔成功救人，非常高興，只可惜救人這一幕沒有被 Susan 看到，否則，Susan 一定會讚他很威水。

Water 仔不禁搖頭嘆息，此時，他留意到阿伯又坐在身邊。

Water 仔覺得很奇怪，老伯和他剛才一同游水，也幾乎相同時間上水，自己都渾身濕透，髮絲濕漉漉；但老伯卻全身沒有一滴

水珠，頭髮乾爽，完全不似剛剛游過泳。

Peter 仔看著此情此景，不禁一怔。他禁不住問：「老伯，你剛剛落完水，個身和頭髮咁快乾嘅？」

老伯一臉狐疑，回答：「我吹吓海風而已，都無落水。」

Water 仔質問：「咪嚇鬼啊，你頭先同我一齊游水的。」

老伯繼續搖頭，神情不似說謊。

突然，Peter 仔背脊有一股涼意，耳邊響起了一把聲音：幽幽地問：「**後生仔，你真的不信有水鬼？**」

Water 仔馬上雞皮疙瘩起來，他回頭望望剛才遇溺的泳客，再回想剛才一同游泳的伯伯，再凝望眼前這位一模一樣的伯伯，他……恍然大悟，在海裡，他早已跟水鬼擦身而過……

怒海惡靈（三）

Water 仔自從上次見過「水鬼」後，真的「見過鬼都怕黑」，唔敢亂說話挑戰鬼神了。昌爸和船長阿海已上岸作業，已脫離漁民的生涯，但他們熱愛大海，閒時會和 Water 仔「三人行」一齊出海釣墨魚為樂，即釣即煎，人生一樂也！

連釣三條油錐

阿海租了艇出海釣墨魚，先釣到一條油錐，阿海神情有異，之後很快又再上釣一條。

阿海把魚獲放回大海，又發出哀嚎：「唔係咁邪吧，若再釣到油錐，就弊了！」

Water 仔好奇地問：「點解呀？」

阿海正想回話，又有魚上釣，阿海拉起魚桿，把魚獲拉上來一看，不幸言中了，又是油錐。

阿海沒有作聲，二話不說就斬斷魚絲，放走那條魚。

昌爸心領神會，馬上開船離開。

Water 仔見狀，驚訝地叫道：「咁快回程了？」

當船駛回岸邊時，阿海舒了一口氣，才開始道明原因。

「阿仔，你出身漁民世家，一點 Common Sense 也沒有？如果不斬斷魚絲放走那條油錐，水鬼就會跟著上來。」

Water 仔自從上次見過水鬼後，聞鬼色變。他聽到釣油錐，都會惹鬼上身，馬上驚惶失措。

死剩幾條頭髮

「老豆，咪嚇我啦……釣油錐……和水鬼有乜關係呀？」Water

仔結結巴巴地問。

阿海話「油錐引鬼」的靈異傳聞甚囂塵上，真的寧可信其有，不可信其無。他把傳聞娓娓道來：「話說有一晚，有個釣魚客釣了兩條油錐上來，放入水桶中，見到桶裡面的水有髮絲，不以為意再繼續釣，結果釣了三條油錐之後回家，當晚釣魚客很不舒服，患了急病三日後就死了，那時他家人回家整理他的東西，發覺他裝有魚穫的水桶沒有魚，只有一桶水和一堆頭髮，這位朋友說，很多時候釣到油錐放入水桶時，都會發現有頭髮絲。盛傳這就是水鬼的頭髮......」

「嘩——！好得人驚呀——！」Water 仔聽罷，不禁驚叫起來。

引鬼上釣

昌爸補充說：「釣油錐引水鬼上身，畢竟是傳聞，信則有，不信則無。不過有一點可以證實，就是油錐喜愛吃腐屍，如果有人遇溺葬身大海，屍身會被油錐剕吃；因此，油錐體內有機會殘留屍體的爛肉或消化不掉的頭髮。您咁好彩連續釣三條油錐，代表你身處的海域有屍體。你再把油錐帶埋回家，即是帶埋死者的殘肢回家，它的靈魂跟住油錐一齊跟你返屋企，你都唔想啦！所以，鬼神之說，要敬而遠之，釣到油錐，最好還是放返落海，以免惹禍上身。」

阿海見到 Water 仔惶恐的神情，安慰道：「在茫茫大海裡，人顯得好渺小。生死有命，富貴由天，只要唔做虧心事，多行善積德，人在做，天在看，上天會眷顧我們的。」

地盤裏聽不到的哀鳴

香港地少人多，為了覓地起屋，政府和發展商會各出其謀，刮盡所有可用之地，例如清拆古蹟或舊樓，或者收回荒地業權等。古蹟一般有過百年歷史，長年無人到訪，是新鬼舊魂戀棧的好地方；舊樓歷史悠久，不論是自然死，或寃死，幾乎每個單位都死過人，也是靈體的集散地；荒地更加不用多說，人跡罕至，陰盛陽衰。以上地方早已是凶靈的「地盤」，如今人類要在此動土，拆毀它們的「家園」，它們豈會不發難？

地盤工人特別迷信？

在地盤工作的人深明此理，為了免受凶靈侵擾，他們對鬼神都敬而遠之。開工前務必「拜神」，大時大節也要大拜一番。有些大型項目，如果中途達到某些里程碑，例如隧道順利爆通，也會進行燒豬酬神的儀式。逢初一十五也會有人負責到處燒燒拜拜，就算不是每次原隻燒豬供奉，燒肉水果也必不可少。

工友無故消失了

地盤裡上上下下的人都寧可信其有，不可信其無，拜神儀式必不可少。

可是，這天地盤來了一個信奉基督教的主管譚生，他認為拜神如拜偶像，是耶穌基督所不容許的；加上在廿二世紀的5G年代，大家應具有科學精神，不應相信「鬼害人」的無稽之談云云。

這個集團轄下的所有地盤工程，開工之前，例牌有拜神儀式的。但譚生「新人事新作風」，他堅決唔拜，下面的工人也不敢作聲。工人們敢怒不敢言，畢竟市道不景，工作難尋，他們深信得罪主管沒有好下場的，唯有照辦。

一天，工人老徐全日唔見人。

譚生生氣地問：「有無人見過老徐？」

工人傑仔說：「我 call 了他幾次，無人聽啊。」

譚生望著更表，冷冰冰地說：「他無返工，又唔致電交代，我會以曠工處理。你們誰見到老徐，馬上通知我！」

譚生離開後，傑仔向其他工友說：「老徐平時做嘢好交帶，不會曠工的。我致電給阿嫂，阿嫂話老徐都無返過屋企……」

工友阿齊笑說：「連屋企都唔返，是否去了第二個女人屋企，玩到唔識返工？」

傑仔馬上駁斥：「老徐不是呢種人，他很錫老婆，很顧家，工作又守時，做得就做，從無怨言，每次都是最後一個走的。」

其他人也認同傑仔的說法。

一個星期過去了，老徐仍無蒲頭，地盤和屋企都不見蹤影，眾人開始擔心起來。

工人傑仔憂心忡忡，問：「阿嫂今天致電給我，很是憂心，她問我是否要報警。」

原本冷冰冰的譚生開始感覺得事有蹊蹺。

「譚生，升降台那邊好臭啊，是否要找人清理一下？」工人阿斌跑過來說。

「升降台附近堆了很多廢置材料，又有你們棄置的飯盒，日曬雨淋，唔臭才怪。」譚生平時鍾意鬧人，此時也不忘要教訓一下工人。

「咁……要……找個清潔工人打理一下嗎？」工人阿斌戰戰兢兢地問。

「call 阿常姐返工，叫她返來清潔一下地盤啦！」譚生晦氣地說。

失蹤者終於「蒲頭」了！

第二天，傳來一陣急切的呼救聲。

工人們都放下手上的架生，向聲音來源奔去。

大家跑到升降機門口，一具腐化近幾乎變成白骨的屍體映入眼簾，眾人嚇得高呼大叫。屍體已腐爛得難以辨認，但憑屍身上的工作證，得知死者就是工人老徐......！

有人命傷亡，地盤工程當然要停工。警方接報後亦非常緊張，馬上介入事件，並展開調查。

警方重組案情後，表示老徐一星期前的一晚，曾到升降台工作，但眾人放工關上電掣就放工離去，不知道老徐被「遺棄」在升降台裡，老徐當時無帶手機，結果，叫天不應叫地不聞。升降台不是天天開動的，有時三、四日都唔用一次，結果老徐被困多日都無被發現；一星期後有清潔工人常姐去清潔，重新打開升降台才發現屍體。

以往有拜神，地盤工程都很順利，連工業意外都未發生過；但今次在高層的壓力下改變了傳統，就發生慘劇。大家得悉慘案的過程後，都開始聯想是因為無拜神，結果搞出人命。眾人開始背後數落主管譚生，是他執意不用拜神，結果在缺乏神靈的保護下，害死一條人命。譚生敵不過眾人的指責，最後引咎辭職。

人命的教訓

目擊昔日的戰友變成白骨，工友們內咎非常，為何當初大家只埋怨老徐無故曠工，竟然沒有關心過他可能已遭遇不測？

每次進出升降機這個恐怖現場，工友們沒有毛骨悚然，只有傷心無言。他們痛失好友，悲痛多過恐懼，並深深吸取教訓，以後工程開展之前或逢初一十五都例必拜神，奉上鮮果拜祭，祈求神靈保祐大家出入平安，免受靈體侵害。

戰爭下的遺孤

電視正播放著「俄羅斯炮轟烏克蘭」的戰爭畫面，嫲嫲一邊看著，一邊挨聲嘆氣。她表示，每次新聞報道國際間的軍事衝突，都會令她回想起香港被日軍佔領三年零八個月的黑暗歲月，其中一對吃二手飯的小兄妹令她最慨嘆……

當年日軍佔領香港，種種殘暴的行為簡直不勝枚舉，例如對婦孺凌虐及性侵犯，連婆婆都唔放過；見到日軍而不作九十度鞠躬敬禮，就會被掌摑、被槍枝毆打，甚至被槍殺。大量難民途離家園，口喝時飲溪水，肚餓時吃野果。無數老弱倒地不起，路上屍骸遍野。

可憐小兄妹搶吃剩飯

嫲嫲當時在一間日本人公司做文員，其他屋企人也有替日本人打工，他們一家的生活尚算安穩，未至於要流離失所，走難他鄉。嫲嫲憶述，每逢午飯、晚餐時段，都看到一對小兄妹站在排檔面前，等著其他食客離開，就坐到他的座位，吃著之前食客吃剩的飯餸，即是吃二手飯。他們一臉憔悴，面容蒼白，吃時狼吞虎嚥，不顧手指有多骯髒，連掉落在桌面、地面的飯粒也不放過，一一撿起來塞進嘴裡。如是者，每天嫲嫲放飯時，都看到這對可憐的小兄妹。有好幾次，嫲嫲刻意吃剩多點飯，好讓兩兄妹可以吃個飽。

不知隔了多久，嫲嫲再沒見過這對可憐的小兄妹的出現。大概再過了一個月左右，他們又再出現，仍然是那副模樣。有些不同的是，以前他們會等食客離開，然後才衝上前吃他人的冷飯菜汁；如今他們會將臉哄到吃飯的食客面前，大模斯樣地吃別人的飯。最奇

怪的是，食客也很包容忍耐，視若無睹，沒有驅趕，也沒有指罵。

戰火下人間有愛？

嫲嫲見狀，非常感動，覺得戰火下人間有愛。他向同桌的同事說：「你看，兩兄妹全身骯髒，但食客都很容忍，讓他們挨過來搶食，沒有嗤之以鼻，實在難得。」

同事向著嫲嫲指著的方向望過去，呆了一下，然後說：「那枱得一個人在吃飯，哪有您說的兩兄妹？他們是否走了？」

嫲嫲回望過去，兩兄妹仍在，並未離開。

「兩兄妹仍在，你沒看見嗎？」

「沒有......」

這個同事為人很木訥，不會說笑，也不會說假話。嫲嫲馬上意會到自己可能撞──鬼──！她立即回頭再看，那對吃二手飯的兩兄妹，緩緩飄走，穿過牆身消失了。

盂蘭勝會

關人鬼事？

街頭燒衣、派米、演神功戲以及誦經似乎是我們對盂蘭勝會的第一印象，不過大家好像並不清楚這個活動的背景、意義及活動內容，甚至有人認為盂蘭勝會「唔關人事」，只是一個祭祀鬼神的儀式，沒有參與的必要性。

但事實當真如此？真相如何，現在就讓筆者娓娓道來。

盂蘭由來：源自目連救母

農曆七月十四「鬼節」，正名為「盂蘭節」，「盂蘭」在梵文本為「解救倒懸」之意，出自目連救母的佛經故事。相傳，目連為佛祖的十大弟子之一，他的母親因為生前作孽太多，死後在餓鬼道倒吊受苦，所有食物一到嘴裡都變成火焰。目連心痛極了，於是闖進地獄，營救母親，更與鬼差大打出手。後來，佛祖出面調停，吩咐目連用盆盛好祭品，以供養天地間的鬼神；此外，要唸「盂蘭經」超度餓鬼

道，目蓮一一照做，果然成功解救母親。自此，每逢農曆七月十四便成為「盂蘭節」，各間廟宇會準備祭品，供奉鬼魂。叫法方面，佛教叫農曆七月十四為「盂蘭節」，道教則叫「中元節」。

▲目連救母圖

盂蘭勝會已有多年歷史，「香港潮人盂蘭勝會」在二零一一年被列作國家級非物質文化遺產，成為了又一個值得港人驕傲的特色慶典。

隨著難民遷徙而來的盂蘭習俗

盂蘭節並非香港本土的節慶活動，而是「移民」來港的。在四、五十年代，香港成了避難港，當時很多潮州、海陸豐(惠洲)、鶴佬(福建)等人偷渡來港，一併將盂蘭節這個家鄉節日帶來香港，以聯繫同鄉感情、紀念祖先和超度地方上的孤魂野鬼。盂蘭節便跟隨他們來港落地生根、遍地開花，在全盛期，一踏入七月，全港十八區的大型廟宇都會籌辦為期一至五天的盂蘭節祭祀活動，亦即「盂蘭勝會」(又稱「中元普渡」或「中元建醮」)，這幾天除了有燒街衣供奉孤魂野鬼外，又會請道教或佛教的法師來唸經、請戲班來演神功戲、請信眾競投福品等。由於潮汕一帶的商人，以經營米業為多，在勝會的最後一天，更會派發平安米救濟貧民，為先人積福呢！

受訪者：鄭興

所屬單位及職務：筲箕灣南安坊坊眾會主席

簡介：在區內有三十二年籌辦盂蘭勝會的經驗，稱得上是香港盂蘭勝會的「活字典」。

籌備盂蘭勝會，有咩要搞？

有錢出錢，有力出力！

由農曆二月開始到七月，整整五個月以來，馬不停蹄的進行籌備工作，為的只是農曆七月為期四天的盂蘭勝會活動，旁人或許會認為不值得，但年過六十的鄭興卻堅持每天頂着大太陽，汗流浹背的走到球場上監工，為的是把這傳統傳下去。

一場勝會，至少籌備半年！

鄭興表示，各區的盂蘭勝會活動通常由該區的廟宇委員會承辦，各有各搞。如果盂蘭勝會中有神功戲的環節，早在半年前就要開始物色戲班，揀好戲班後與班主傾價錢。本地的劇團不會因覺得邪門而拒接神功戲，反而是資金不足，請不動他們，因一個戲團至少四十至五十人，戲金至少四十萬。有些地區棄用戲班，會改請折子戲花旦，費用較便宜，因折子戲是劇目的濃縮版，只需兩個花旦唱戲即可，十萬元以內可埋單。

除了請戲班，又要請工人塔建各種建築物，包括神棚、祖先棚和戲台等，神棚就是神壇，開壇時，人們到附近廟宇請來神像，再將神像擺進神壇，接著在神壇對面搭起戲台，上演神功戲給神看，其實也娛樂了市民。另外，祖先棚即鬼棚，用來擺放這個區的先人靈位，後人捐了錢，就可以將其先人靈位（又稱附薦位）放進此棚，等於給祖先買了「入場券」，讓祖先們也能參加這場盂蘭勝會。

鄭興表示，後人預先捐了錢，勝會當日才可把先人靈位放進祖先棚，讓先人有機會參與勝會的活動。因此，早在兩個月前，大會就要請兩名全職員工，替街坊報名，向善信售賣附薦位和路票，先人有了附薦位和路票，才可參加勝會！

戲班請好了，各款建築物搭好了，附薦位和路票又準備好了，還有各式紙紮用品如鬼王、幡燈等等，準備功夫非常繁多，很不簡單。

大搞 Gimmick，努力承傳！

主席鄭興喜歡在盂蘭勝會搞搞新意思，促進傳統文化的保育。他形容，筲箕灣盂蘭勝會似嘉年華會般鬼咁熱鬧，並不如張家輝主演的電影《盂蘭神功》描述得那麼恐怖，而且與時並進，增加了不少 Gimmick。

例如：鄭興請紙紮師傅打造螢光鬼王，替鬼王穿上螢光衫褲，更是史前無例！螢光鬼王約高二十呎，闊十二呎。衣服由黃、綠、紅三色螢光彩紙製成，盔甲黏上一百六十八條金龍彩紙，寓意「一路發」。外圍加插十六支紫外光管營造發光效果，眼睛是 LED 燈，心口有內置光纖燈的觀音像，不停轉換顏色。日間亮麗，夜晚更出色。

此外，鄭興又委託工程公司製作電動運輸帶，安放於紙橋上方，讓孝子賢孫引領先人渡橋升仙。為加強仙橋的像真度，橋底還裝有煙霧製造機，不時噴出縷縷輕煙。另外，鄭興又曾在盂蘭勝會期間舉辦攝影比賽和舞獅比賽，反應非常理想，很多年青人都不怕「邪」，踴躍參加。他期望，透過這些新搞作，可以讓年青人重新認識盂蘭勝會的傳統意義。

怕落雨多過怕見鬼

　　有人忌諱去盂蘭勝會是因為怕與靈體接觸，不過，原來勝會的主辦方怕下雨多過怕見鬼。

　　「辦盂蘭勝會最怕刮大風下大雨！你試想下，幾百個附薦位（先人靈位）全是紙紮，鬼王又是紙紮，又有十幾呎高的戲棚，全都經不起風雨的。有一年掛八號風球，十八呎高的戲棚被吹到移了位。我心驚膽跳，生怕一下大雨所有祭品報銷，若竹棚倒下來更遭殃。我家住盂蘭勝會場地附近的鐵皮屋，那晚回家時成個山頭的狗隻齊齊吠叫，夜晚狗吠一定係『有啲嘢』。豈料第二天回去一看，在大風大雨下所有放在地上的祭

盂蘭鬼節禁忌

　　為了盂蘭勝會圓滿舉行，鄭興在活動前一星期例必齋戒沐浴，他又會要求全體員工在一連四天的活動裡禁止吃肉，希望勝會得到鬼神的保祐。

　　除了盂蘭勝會的話事人和員工要信守禁忌，民間亦有很多鬼節的禁忌。鬼節有乜禁忌？簡直可以用「多籮籮」來形容，例如：

禁忌一：傳說這一天的子夜時分，陰氣特別重，停留於荒郊野外
　　　　會看到百鬼夜行的奇觀，所以在鬼節的時候大家要早點
　　　　回家。
禁忌二：不可去危險水域戲水，傳說中水鬼會找人當替死鬼，以
　　　　便投胎。
禁忌三：不可撿路邊的錢，這些錢是用來買通牛頭馬面的，如果
　　　　侵犯了他們東西，就很容易被他們教訓。

品沒有弄濕，戲棚也很穩固。我把此事告知法師，他解釋是因為夜晚一眾靈體在守護著盂蘭勝

▲一旦下雨，就會淋濕紙紮品。（曾志偉攝）

會的場地，狗隻見到陰靈聚集自然會狂吠。」鄭興如是說。

想來也是，撞鬼好像也不會做成什麼實際上的損失，不過，如果下雨甚至打風，那麼勝會就可能搞不成了，主辦方亦會血本無歸。

禁忌四：不可輕易的回頭，當走在荒郊野外或人煙稀少的地方時，
　　　　覺得好像有人叫你，不要輕易回頭，否則會被鬼上身。

禁忌五：不要熬夜，人陽氣最虛的時候是在深夜，鬼陰氣最旺的
　　　　時候也是在深夜，熬夜很容易被邪氣入侵。

禁忌六：不要偷吃祭品，這些是屬於靈體的食物，未經過他們的
　　　　同意就動用，只會替自己招來難以解決的厄運。

禁忌七：避免穿戴紅繩或鈴鐺等招鬼物

禁忌八：鬼平時喜歡依附在冰冷的牆上休息，大家不要太貼近牆
　　　　壁走路，此舉很容易引鬼上身！

禁忌九：不可玩碟仙！平時玩碟仙已很容易撞鬼，更何況在這鬼
　　　　節時分！

禁忌十：不可晚上拍照，此舉容易將靈界的朋友一起拍進來，然
　　　　後帶回家！大家都應抱著「寧可信其有，不可信其無」
　　　　的心態，不要在鬼節犯禁，對鬼神尊重，就心安理得了。

盂蘭勝會
有什麼看頭？

活動流程，由頭到尾話你知！

走 進盂蘭勝會的場地，大家在門口處先會見到搶眼的招魂幡，再走進去，十幾呎的鬼王、大型戲棚、以及為數眾多的神壇和附薦台相繼映入眼簾，那你又知不知道它們的意義及作用何在呢？

盂蘭勝會 · 名詞解惑

1. 招魂幡：門口有支巨型招魂幡，據説能招集方圓五公里的孤魂野鬼。

2. 鬼王：觀音大使的其中一個化身，故其身上總放有一尊觀音像。其職責等同警察，鎮守會場維持秩序。鬼王有十多款造型和姿勢，如潮州鬼王是藍面，鶴佬鬼王頭上有角。

3. 附薦台：即是先人靈位

4. 孤魂棚：用來祭祀無主孤魂，即不知名的亡者或先人，他們死後無人拜祭，故在世的同鄉便趁此機會超度他們。棚內放滿衣服、日用品、白米、酒水等祭祀用品。

5. 戲棚：潮洲人和鶴佬人多愛看大戲，故盂蘭勝會大多有戲棚，上演的神功戲給人鬼神觀看，常見的戲目有「十仙賀壽」、「仙姬送子」等，含有吉祥之意。

6. 神功戲：俗稱大戲，是傳統的戲曲表演。大凡神誕、廟宇開光或社團辦慈善籌款，都喜歡邀請戲班來演戲。在盂蘭勝會上，亦會上演「神功戲」，既是做給鬼神觀看，也會供人類欣賞，可謂人、鬼、神三界共樂。

在以前的舊香港，會邀請整組四至五十人的劇團來演戲；現在一切從簡，只請兩名演員來上演三小時的折子戲，即抽取神功戲劇目的精華片段。

盂蘭勝會一般活動流程

　　盂蘭勝會的舉辦時間通常由一天至六天不等，視乎各區管理廟宇的組織有多大的財力。以筲箕灣為例，幾十年來每年勝會都堅持做四天，還不斷推陳出新，例如創造十四呎螢光鬼王等，人力財力的盛大可見一斑。

第一天：請先人到位

8:00AM：法師及道士進行「破地獄」
　　　　儀式，歷時一個半小時。

2:00PM：一位法師帶領四十個道士，
　　　　請廟宇眾位神靈上橋，並大
　　　　鑼大鼓巡遊。

4:00PM：大會工作人員在道士們引領
　　　　下，陪同鬼王，到達醮壇進
　　　　行迎神儀式。

▲ 法師行破地獄的儀式

▲ 附薦位猶如靈位，供後人在盂蘭勝會當日拜祭之用。

6:00PM：請眾先人的附薦位上醮壇。所謂附薦位，即先人靈位，早在盂蘭勝會開始前半個月，主辦大會「開始招生」，讓孝子賢孫前來替先人買附薦位，好讓先人在儀式當日可以「持票入場」，前來聽經。廟宇員工會提醒後人，附薦位和路票要一齊買，否則，即使在神功戲有留座，但無路票，陰間使者也不會放行。

8:00PM：後人用齋菜供奉先人。不但先人要吃齋，後人和負責儀式的全體工作人員在一連四天的盂蘭勝會都要吃齋，以示尊重。大會在節慶前會出通告不斷提醒街坊這個禁忌，不可有違。

10:00PM：神功戲結束

▲ 此相片攝於破地獄該晚，街坊燒完祭品給先人後的情況。（蕭輝攝）

第二天：子孫祈福

9:00AM：一位法師會帶領四十個道士進行「上金榜」和「上陰榜」的儀式。金榜是一塊高達十多呎的大木板，上面寫滿是次盂蘭勝會所有捐款人的芳名，由數萬元至幾十元都有，廟宇負責人按捐款金額大小作出先後排名。儀式開始前，廟宇員工會替這塊大木板粉飾一番，簪花掛紅；至於陰榜，同樣是一塊高達十多呎的大木板，上面則寫滿了先人的名字。法師和道士們會開壇唸經，上告天庭，下稟地府，祝願善心的捐款人恩澤綿綿，先人則往生極樂。

10:00AM：租船出海，由法師和一眾道士帶領，載著鬼王到鯉魚門或太古城附近海域燒衣。據鄭興所說，只要事前通知海事處，處方都會通融，讓他們在海上燒衣。

▲給人鬼共賞的神功戲

▲ 神功戲深受長者歡迎，座無虛席。

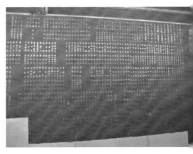

▲ 捐款人的名字會被刊登出來，以示感謝！

3:00PM：法師把開過光的清朝古幣撒在地上，讓善信執回家保平安。為了控制人潮，免生亂子，廟宇員工事前會擺放鐵馬，規劃好人群活動範圍。是次活動的名額約有三百個，每次只准五名善信入去，五名善信站好後，法師會向地上撒五塊古錢，換言之，人人有份，不用盲搶。

▲佛船出海祈福

第三天：超度先人

早上：法師帶領道士唸經

7:00PM：過金銀橋，是全個勝會的重頭戲，家人手持先人附薦位，排隊引領先人進入沐浴亭。法師和道士們在沐浴亭用柚葉替各先人牌位灑淨，接著，把一個個先人附薦位送上金銀橋。橋面鋪設電動運輸帶，將先人牌位從一端運送至另一端，象徵先人輪迴時可投胎到好人家。

9:00PM：將仙人牌位放上由觀音掌

▲法師唸經超度先人

舵、長約九呎的的佛船，再連同金銀橋放入化寶爐火化，象徵先人向西方極樂世界登仙，免去輪迴之苦。

第四天：大神巡遊、鬼王出巡

早上：法師帶領道士唸經

2:00PM：法師和二十位道士請各位大神巡遊，巡遊完畢後，正式請神歸位。

5:00PM：齋戒期結束，主辦大會用燒豬酬神，後人也可以用肉類拜祭，牛肉除外。

9:00PM：大會十多名工作人員在道士們引領下，七手八腳地把約十四呎高的巨型鬼王請到會場中央，前來參觀的市民們紛紛和鬼王合影留念。

▲ 家人手持先人附薦位，排隊引領先人進入沐浴亭。（曾志偉攝）

接著，法師在前唸經引路，幾名工作人員推著鬼王開始巡街。沿路有人撒米、五色豆、白豆、黑豆、紅豆、綠豆、眉豆等穀物，給遊蕩在街上的孤魂野鬼吃，就是所謂「分衣施食」。鬼王所到之處，人車都要讓路，非常架勢！巡遊回到終點，人們爭相從鬼王身上揭下據說可保佑平安的金貼紙。鬼王巡遊路線由南安街、寶民街、望龍街、東大街，及至工廠街，最後折返南安街。鬼王所經之處，立令所有孤魂野鬼離開陽間。

▲鬼王出巡，架勢非常。（韓國禎攝）

10:00PM：法師唸經請走先人，然後把先人的附薦位火化。所有儀式正式完結！

第五天：休息

與民休息

第六天：競投勝物及選值理

主辦大會在酒樓設宴，宴請席券賓客。在會上，有多項活動，包括：

1. 競投勝物：勝物指善信捐出的神像，再以競投的方式價高者低，得款以資助日後的神功活動，做功德之用。
2. 問杯求值理：在神壇前，以問杯的方式選出來年新一任的值理。

盂蘭勝會天天節目不同，唯一不變的是法師和道士們每日早午晚三餐定時奉上貢品，以祭各位大神、祖先和野鬼。

▲ 有些地區的廟宇委員會在酒樓舉辦勝物競投活動，有些則在盂蘭盛會場地即席做勝物競投。

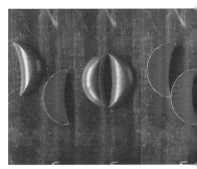

▲ 若求得聖杯，代表心中所求，得到神靈的正面回應。

鬼王造型,各具特色!

鬼王,又稱「大士王」、「大士公」或「大士爺」,相傳是觀音化身,負責監督盂蘭勝會,震懾前來接受分衣施食的小鬼,令它們不敢在陽間作怪。它的原名很長,非常難記!在佛教尊稱為「鬼王」為「鐵圍山內焰口面燃大士菩薩」,又稱「焦面鬼王」;在道教則尊稱為「幽冥面燃鬼王監齋使者羽林大神普渡真君」,通稱「面燃大士羽林監齋普渡真君」,又稱「羽林大神」、「普渡真君」。通常一般叫「大士王」、「大士公」或「大士爺」就算,很少叫全名,漸漸全名已不為人所知了!

潮洲鬼王只是一幅約五、六呎高的畫像;客家和海陸豐鬼王長有獠牙,外表兇惡;廣東鬼王以高大取勝,一般有十幾呎高,祂一手執筆,一手拿簿,簿上寫著「善惡分明 分衣施食」八個大字。廣府鬼王是白色臉,觀音像放在肚子上。

不過,盂蘭勝會需要大量紙扎祭品,其中「鬼王」更高達十幾呎,香港做大型紙紮的師傅絕無僅有,如何解決貨源問題?

鄭興表示,盂蘭勝會上有大量的紙紮製品,除了鬼王外,還有黑白無常和招魂幡,以及大量金銀衣紙,但香港的紙紮行業已是日落遲暮,老師傅已先後退休或辭世,新生代又嫌老土不願接手,早已青黃不接。許多盂蘭勝會搞手已北望神舟,向內地進口各類紙紮用品,以解決貨源問題。

▲ 鬼王,猶如盂蘭勝會的護衛,看管從陰間而來的亡魂。(Chan Oi Chun 攝)

盂蘭勝會兩大重頭戲
神功戲 · 破地獄

簡單來說，神功戲亦即做大戲，當一個組織籌辦戲曲演出，作為祭治活動，藉以「娛神娛人」和「神人共樂」，所演出的戲曲便是神功戲。

神功戲上演場次並沒有明文規定，主要根據主辦方的財力而定的，以二零一五年鄭興所負責的筲箕灣區為例，請了著名粵劇家蓋鳴暉女士唱頭一晚，而的荃灣盂蘭盛會則是一連三日，每日都讓由潮州來的劇團做神功戲，各自各精彩。

神功戲話當年

盂蘭節傳入香港時，當時人民愛看神功戲，故聘請劇團在盂蘭勝會期間做齣連場好戲，以及奉上各式食用祭品，讓仙遊的鄉里們可以到來「吃

喝玩樂」。盂蘭勝會不一定上演神功戲，其實，以前大多數地區會做木偶劇或皮影戲，但後來懂得木偶劇或皮影戲的技藝幾乎失傳，很難再找到行內人來演，故神功戲才慢慢取而代之。至於會否搞搞新意思，上演話劇或播電影，就要看時

代進化了，畢竟盂蘭勝會的話事人大多是老一輩，他們未必接受到這些新東西；加上缺乏經費，盂蘭勝會能否續辦也成問題，又怎會想出新猷？

神功戲禁忌多

鄭興表示：平時做大戲，跟在盂蘭勝會中演神功戲，劇目和習俗方面大有不同，禁忌也特別多。

演出期間，後台必定在雜邊虎道門旁設一祭壇，行內叫「師傅位」，祭壇上所供奉的通常是華光師傅。在盂蘭勝會中每次出台演出神功戲，全體演員及雜工們都要齊集在拜華光師傅面前，誠心上香拜祭，這是不可或缺的環節。但在其他日子上演大戲，主要演員上香拜祭即可，也不用每次出台都拜，只要在開頭拜一次即可。

除了拜祭戲神外，上演神功戲前還有以下必做儀式：

1. 破台儀式：進行破台儀式時，成員不能開口説話。
2. 丑生開筆：「正印丑生」用毛筆點珠砂，在後台師傅位旁近虎道門的大柱寫上「大吉」二字，但寫至「口」部時，切

華光師傅是何方神聖

常聽人道：戲班得拜華光師傅話說，華光原本是天廷玉皇大帝手下的「火神」，因凡間演出粵劇，聲音驚動玉帝，於是被派下凡火燒戲棚。但華光看戲看得太入神，不忍加害戲班，便教戲班子弟演戲時燒香及衣紙，使煙升上天廷，好令華光瞞騙玉帝已經火燒戲棚。由於得到華光的眷顧，戲班子弟免於火災，後世便供奉華光作為戲神。

▲ 戲班相信華光師傅可以保佑演出順利

忌四畫相連，以避「有口難開」的壞意頭。

3. 台口裝香：班中成員，尤其是演員，在演戲前先在台口裝香，一説
是供奉戲台對面的菩薩，二是孝敬聚於台口的神鬼，藉
以祈求保佑演員安全。

4. 開台例戲：戲班演出首天晚上通常會演例戲，作為開場的前奏，例
戲有「封相」、「賀壽」、「加官」、「送子」、「李
世民」和「團圓」等。

5. 送走鬼神：是神功戲最後一晚必做的儀式，演員出場後向台口分別
揖拜，據説是象徵送走戲班師傅和請各方鬼神各自散去。

神功戲第一排傳聞

有人話，「神功戲第一排是俾鬼坐」是捏造的，實則是留給捐
款籌備盂蘭的大老闆坐，實情是如何？

鄭興表示，第一行無人坐，係因為要預留給鄉民代表、理事長、
村長等的 VIP 坐，但他們又未必場場到場觀賞，久而久之，大家見
第一行座位空了出來，就誤傳為留俾鬼坐。

鄭興認為，「神功戲第一排是俾鬼坐」這個傳聞肯定是假的，
因為他主辦的盂蘭勝會，第一行天天滿坐，個個百無禁忌。

破地獄儀式，救陰魂於苦海！

在開始演神功戲前，均要進行一個叫破地獄的儀式，使陰間
「放行」才可令先人從地府到陽間玩樂，不然，就算神功戲多精彩，
他們都不能夠欣賞了，因為生前有罪孽者，死後會在陰府滯留，
不過，通過破地獄儀式，可讓鬼魂重回人間，接受法師的誦經，
放下執著超度。

破地獄出自佛教的目蓮救母故事，時至今日，道教將其破地獄的行為，演變成法事，為一眾孝子賢孫，引領先人的亡靈早日輪迴。

儀式進行時，會放有寫上「地獄門」、代表地獄的紙擺設。

「地獄門」外圍的四方，設有八至九塊瓦片，「地獄正門」設兩塊瓦片，象徵人間及地獄的結界。

破地獄儀式會由十多個法師進行，其中一個法師作領導。

法師們會先誦經，向諸神眾鬼表示，法事即將開始。破地獄儀式中，法師會敲鑼擊鼓，隨音樂繞著瓦片誦經，內容大致引領死者到人間，並勸世人行善積德，免受地獄之苦。每繞一圈，領導的法師便會燒符咒，再用木劍擊破瓦片。當全部瓦片被擊碎時，法師便會破地獄，引出亡靈，接受誦經，放下執著超度。

▲ 紙紮地獄門（譚惠康攝）

▲ 破地獄儀式由十多位法師進行

盂蘭勝會日漸式微

搞手慨嘆敵不過時代洪流，鬥不過現實！

香港上世紀四十至八十年代是盂蘭勝會的全盛時期，十八區每區都有搞，一搞就搞通宵，場面很熱鬧，比年宵還墟冚！很多人一家大小會前來拜祭先人，然後欣賞大戲，有些家庭甚至會帶埋麻將枱前來「開枱」，百無禁忌。

經費不足，日漸萎縮！

可是，傳統文化敵不過時代的洪流，以筲箕灣為例，四、五十年代，民眾捐款踴躍，每屆都有足夠資金籌辦大型神功戲，戲班班底有五十人之多，由下午兩點唱到第二朝七點，觀眾可以欣賞每首曲目的完整版本；及至九十年代，資金緊絀，已改唱折子戲，折子戲即是神功戲劇目的精華片段，只需聘請兩名花旦前來即可，以節省大量金錢；到十多年前，連折子戲也取消了，總之慳得就慳。懂得欣賞的人越來越少，有些地區索性連盂蘭勝會都停辦了。

現在還有辦盂蘭勝會的地區不多。

籌備功夫艱鉅，勝會規模日漸縮小！

　　盂蘭勝會會有消失的一天嗎？鄭興坦言，應該不會消失，但規模會逐漸縮少：「搞一個盂蘭勝會，耗費的人力物力相當浩大，動輒幾十萬。以前街坊街里人情濃厚，籌募捐款一呼百應。我們可以到商舖籌捐，又可以登門洗樓，雖然當年生活艱難，但家家戶戶都好肯捐錢，幾蚊又有，幾十蚊都有，集腋成裘，積聚的金額也很可觀，一兩天已籌得二萬多元；現在，很多人連盂蘭勝會是甚麼也不知道，年青一代更以為是導人迷信的習俗，要開口問他們捐款，還以為你騙財呢！

此外，店舖更替頻繁，今天你見到他在做生意，後天已易手了，鄉里之間的凝聚力失去了，很多街坊都很生面口，要他們齊心捐款辦活動，難度越來越高，籌得的款項也越來越少。很多時要靠一些有心人大筆捐款，成個月都未必有一萬！缺錢，又怎搞得起一場如此浩大的盂蘭勝會呢！因此，很多區都無再搞，或者把規模縮小，跟以前全盛期的模樣已大為失色。」

　　一場盂蘭勝會動輒就花費過百萬，到底經費從何處而來，又花在什麼項目上呢？

▲ 盂蘭勝會的規模，取決於主辦方的財力。

開支驚人，但錢從何來？主席鄭興稱來源有以下：

來源	金額（約）
主席及值理們的捐獻	二十萬
市民捐款	七萬
附薦位(即先人靈位)	二十七萬
投聖物	二十五萬
香油錢	三萬

以筲箕灣盂蘭勝會為例，鄭興表示花費逾八十萬！

盂蘭勝會的各項開支	金額（約）
搭棚	十八萬
聘請法師及道士	九萬
神功戲的戲金	十萬/場，四場共四十萬
租船	一萬
安裝電器工程	兩萬
花牌(九個)	三萬
衣紙及紙紮祭品	九萬
布置及清潔的物料	五萬
保險費	一萬
買米	兩萬
供競投用的勝物(三十件)	五萬
酒席費用(二十圍)	六萬
全職及兼職員工各兩名	兩萬

註：數據資料取自 2016 年

從上面的收支項目可見，每年的「盂蘭勝會」都是足襟見肘，無利可圖。鄭興表示，全部值理都是義工，並無支薪，但每年都要捐錢搞盂蘭神功，可謂出心出力。這盤「生意」既無利可圖，可謂嘔凸，但鄭興表示仍會堅持做下去，因為「盂蘭勝會」已被列入國家非物質文化遺產，證明它很有文化價值，故希望這個傳統文化可世世相傳下去。

除了經費問題外，也有多方面因素導致盂蘭勝會逐年萎縮：

1. 政府的規矩限制也越來越大。以前神功戲會唱通宵，歷時四至五小時的《帝女花》可以完整唱出來；現在不行了，只能唱折子戲，即精華版，以免遭居民投訴。又例如，現在人多車多，又要閃避大型廣告招牌，大士王巡遊也要縮短巡遊路線，可見現代都市空間能否容納民間節慶活動，是傳統能否傳承的一大因素。

2. 老邨消失，也導致當地的盂蘭勝會沒了，好像牛頭角下邨給清拆重建，原有街坊搬離該地，一些小的盂蘭勝會也隨之消失。

3. 盂蘭勝會需要大量的紙紮祭品，除了鬼王外，還有城隍、馬神、鬼卒、用來招魂的旛燈等一系列產品，這些都需要紙紮師傅不分晝夜趕工才能保證盂蘭勝會順利舉行。然則，鬼王製作難度大，耗時長，因此很多紙紮師傅開始逐漸放棄紮「鬼王」，轉而做其他簡單、賺錢快的日常紙紮品，令盂蘭勝會日漸失色。

4. 還有一個阻滯，就是接班人問題。鄭興坦言，搞盂蘭勝會是一項吃力不討好的工作，又辛苦又賺不到錢，很難吸引到年青人接手。

堅持人手製作的紥作師傅

　　許嘉雄是絕無僅有仍堅持全本土人手製作的紙紥師傅，以一隻鬼王為例，一般收兩萬，體形較小的就便宜一點，可能三兩千，幾百元也有。相對內地工廠的製作，許師傅自己一手一腳造出來的作品更細緻，即使價錢稍貴，仍吸引到不同機構訂製。雖然在筲箕灣有樓上舖，但地方有限，鬼王閒閒哋幾尺高，舖頭實在放不下。許師傅只好與時間競賽，節日前捱更抵夜完成紥作，不然舖頭放了鬼王，就擠迫得無法營業了，好像筲箕灣盂蘭勝會的紙紥仙橋，都是通宵趕工才能完成。用時間總算戰勝了空間阻礙，不過承傳的問題才是最難解決的，現在的年輕人怕悶怕辛苦，早晚對着竹篾和紗紙，又髒又容易割傷手，沒多少人願意入行。因此，很多搞盂蘭勝會的搞手惟有找內地入貨，一來價錢便宜，二來貨源也較充足。

▲ 現在許多紙紥舖都回大陸拿貨，只有少數會用人手紥。（蕭揮攝）

盂蘭欣賞

鬼王遊街

圖説明

01 每個盂蘭勝會都設有鬼王，用以鎮攝鬼魂之用。（黃永熙攝）

02 樣子青面獠牙的鬼王，其實是觀音大士化身的。（黃永熙攝）

03 鬼王出巡（韓國禎攝）

圖説明

01 鬼王出巡，引來途人圍觀。
（陳錦鵬攝）

02 恭送鬼王巡遊街時的情況
（蕭智偉攝）

03 鬼王出巡（薛日強攝）

圖説明

01 鬼王出遊筲箕灣（薛日強攝）

02 鬼王高十尺，攝影師要登上高樓才可拍得鬼王出巡的壯觀場面。（薛日強攝）

03 鬼王大巡遊由下午開始，一直到晚上。（楊靜儀攝）

圖說明

01 一善信正在鬼王前祈福（譚惠康攝）

02 鬼王與電車司機相會（徐善恩攝）

圖説明

01 傳聞鬼王是觀音大士的化身（蕭揮攝）

02 途人與鬼王合照（徐善恩攝）

03 晚上鬼王遊街（蕭揮攝）

圖說明

01 鬼王出巡期間，引來途人拍攝。（徐善恩攝）

02 鬼王巡遊，由獅隊開路。（Chan Oi Chun 攝）

03 鬼王遊街（Chan Oi Chun 攝）

04 金黃色的頭飾襯托威武的鬼王（康命豪攝）

05 威武的鬼王近照（康命豪攝）

圖説明

01 盂蘭節前夕，紙紮師傅把鬼王送抵會場。（Chan Oi Chun 攝）

02 盂蘭勝會完畢，火化鬼王。（卓綺雯攝）

03 恭送鬼王遊街後，就會把鬼王燒掉歸天。（蕭智偉攝）

盂蘭欣賞

破地獄

圖説明

01 破地獄的儀式正在進行
（陳建成攝）

02 破地獄是盂蘭勝會第一
天的重頭戲（陳建成攝）

03 法師在善信中行破地獄
的儀式（譚惠康攝）

盂蘭欣賞

進行法事

圖説明

01　誦經行（陳建成攝）

02　盂蘭勝會期間，每天都有法事進行。（蕭智偉攝）

03　法師和道士正在誦經（楊靜儀攝）

圖説明

01　迎神大巡遊（楊靜儀攝）

02　盂蘭勝會期間，有賴一班道士
　　誦經超道亡魂。（黃永熙攝）

03　信眾在誠心參拜（陳錦鵬攝）

04　信眾在祈福（曾志偉攝）

圖説明

01 後人攜著先人的附薦神位往
沐浴亭（曾志偉攝）

02 先人的附薦神位（韓國禎攝）

03 過仙橋儀式寓意先人可登仙
界（曾志偉攝）

04 請神下山（陳錦鵬攝）

圖説明

01　準備派發包點給街坊（余瑩攝）

02　恭請大神聖駕（余瑩攝）

03　把先人接引到西方極樂世界（余瑩攝）

盂蘭欣賞

神功戲

圖説明

01 潮劇演員的滑稽演技，逗得觀眾哄堂大笑。

02 演員用潮語大唱神功戲，吸引很多潮洲街坊前來欣賞。

03 「貍貓換太子」的劇目正在上演

04 潮劇上演時，台下坐無虛席。

後台內望

上妝

圖説明

01 演員自己動手化妝落妝，不用假手於人。

02 演員上妝換衫，等候出台。

03 演員縛頭繩和戴頭套一腳踢

04 筆者的閃光燈沒有騷擾到演員的專注，他們依舊全神貫注地整理衣妝。

05 演員專心沉思，培養演戲情緒。

圖説明

01 上演完畢，演員們一窩蜂擁到鏡前落妝。

02 女演員頭飾較多，但從不假手於人，每人都各專其職，各就各位。

03 演員整理衣妝時，默不作聲，非常專注。

04 潮劇戲班供奉哪吒三太子，圖中為哪吒三太子的神位。

後台內望

戲箱

圖說明

01 戲台有八大個衣箱，放滿五十個演員的戲服、頭飾和便服。

02 演出用的鬍鬚一字排開，放置得很整齊。

03 後台全貌

04 演出用的刀槍

後台內望

休息

圖説明

01 演員忙裡偷閒，稍事休息。

02 晚餐當宵夜，演員已司空見慣。

03 演員在後台搭建帳幕，後台馬上變身成為睡覺的地方。

04 演員上好妝後，坐在一旁等候上台。

05 坐戲箱，是女演員的大忌！但男演員則任坐唔嬲！

圖説明

01　夜幕低垂，演員窩在兩尺高的棚底下睡覺。

02　棚底下的空間只有兩尺高，演員出入都很容易「中頭獎」！

03　演員在棚底下換衫和閱讀，每個床位都有一盞燈泡作照明用。

鳴謝：

　　本書 P.116-160 的內容取自本社 2016 年出版的《香港盂蘭夜話》，有關盂蘭盛會的內容得以出版，衷心感謝時任的筲箕灣南安坊坊眾會主席鄭興先生和中文大學歷史系碩士研究生陳子安先生提供珍貴的歷史資料及珍貴相片。

　　另外，特此鳴謝攝影師提供寶貴的相片（排名不分先後）：
· 黃永熙、楊靜儀、陳錦鵬、蕭揮、韓國禎、徐善恩、陳建成、余瑩、譚惠康、卓綺雯、蕭智偉、康命豪、薛日強、Cheng Kim Sing (Stephen)、曾志偉、Wong Yat On、Chan Oi Chun